JN200711

新住岡夜晃選集

［三］真実

一九三一年（昭和六年）―一九三五年（昭和一〇年）

法藏館

住岡夜晃による書

右、「生命を継ぐ者は　生命を捧げてゆく」。左、「念願は人格を決定す　継続は力なり」。

真宗光明団本部の住岡夜晃記念室に掲げられている（真宗光明団蔵）

本部前にて

1936（昭和11）年8月撮影。新築の真宗光明団本部で開催された第3回夏季講習会での記念写真

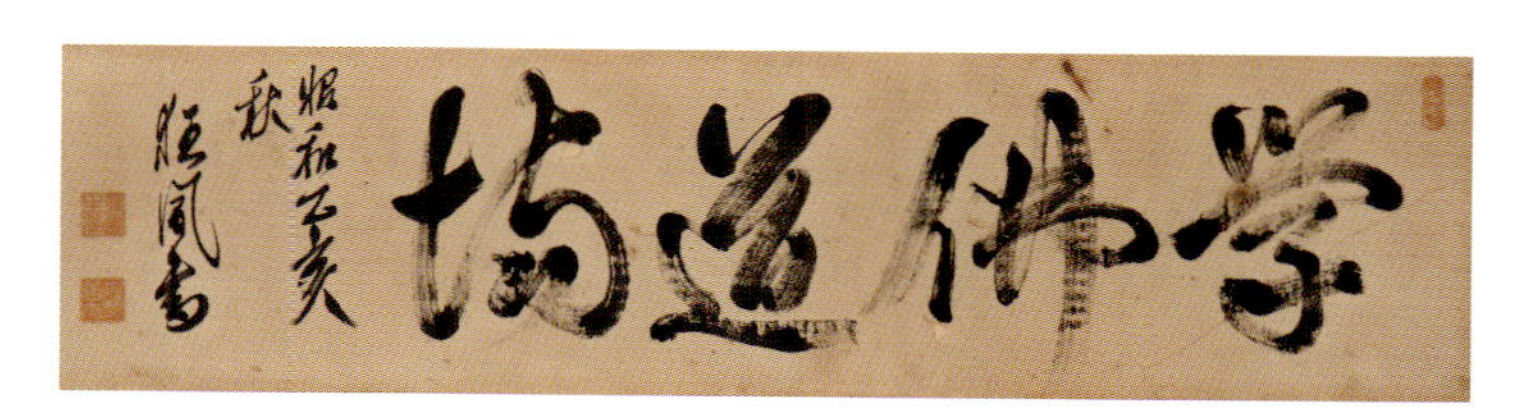

住岡夜晃による書「学佛道場」

真宗光明団本部一階ロビーに額装して掲げられている（真宗光明団蔵）

新住岡夜晃選集　第三巻　真実　目次

第二章　我が慈父親鸞聖人

第三章　大乗仏教のこころ

第六章　あゆみ

【凡　例】

一、『新住岡夜晃選集』全五巻は、『住岡夜晃全集』全二十巻（昭和三十六年～昭和四十一年）を底本に、「新住岡夜晃選集編集委員会」において文章を選別・編集した。

二、原文尊重を原則に、可能な限り住岡夜晃の文章通りとしたが、大正期から昭和二十四年までに書かれたもので、現代の読者に読み難いところもあり、以下の点については編集委員会の責任で修正した。
かな遣いや送りがな等は現代表記に改め、段落の区切りや行替えも一部修正したものがある。旧漢字は、現在一般に使用されている常用漢字等に改めるとともに、現在使用されていないもので平がなに直した方が分かり易いものは修正した。また、読み方の難しい仏教用語や漢字・熟語等には編集委員会において振りがなを付し、読者の読み易いように努めた。また、住岡夜晃が独特の読み方をしている箇所のものは、それをそのまま生かして振りがなを付した。

三、「経・論・釈」や親鸞聖人・法然聖人等の著作物からの引用文については、原則として住岡夜晃が使用していた『聖典』（明治書院刊——以下『島地聖典』という）を使い、かな遣いも表記のままとした。なお、漢字は常用漢字等に改められるものは変更した。

また、読者の利便を考慮して、引用文の後ろに（　）で、『島地聖典』、西本願寺の『浄土真宗聖典（註釈版、第二版）』、東本願寺の『真宗聖典』の記載場所を付加して掲載した。

＊『島地聖典』では、通しページ番号ではなく、例えば「一二三―三」のようになっているが、「一二三」は聖典記載の左右の欄外数字で『歎異抄』を指し、その三ページ目からの引用であることを示している。

（例）「念仏者は無碍の一道なり　そのいはれいかんとならば、信心の行者には天神地祇も敬伏し、魔界外道も障碍することなし　罪悪も業報を感ずることあたはず、諸善も及ぶことなき故也と、云々」

（島地一二三―三、西八三六、東六二九）

四、文章の中には、差別や偏見など現代の人権感覚に合わない表現があるが、時代背景・歴史的事実にかんがみて、編集委員会としての判断で原文のまま掲載した箇所がある。しかし、差別を助長する意があって掲載するものではない。差別は大きな誤りであり、人権に関する問題は、仏教の教える深い智慧からも解決していくべき課題であると考えている。また、現代科学に即していない内容だが、原文のまま掲載した箇所もある。

五、節題や小見出しは、住岡夜晃の付けたもののままでは意図が伝わり難いと判断したものは、編集委員会の責任で一部変更したり追加したものがある。
（例）第四巻第一章の四「家庭の和楽」（原題）→「念仏中心の家庭」（本選集）
六、「注」については、難解な用語の右に番号で印をつけ、該当ページ近くに付けた。これについては、岩波書店発行の『広辞苑』（第六版）等を参考にし、編集委員会の責任で著した。
七、各巻の最後に、その巻の収録文章の「住岡夜晃著作出典一覧」を付けた。
八、住岡夜晃の生涯を紹介する「略年譜」については、第五巻『仏法ひろまれ』の末尾に付けてある。

以上

第一章　苦しむ一切の人々へ

永遠をおもう時、淋しさを感ずる
永遠をおもう時、悲哀を感ずる
永遠をおもう時、ひとりを感ずる
永遠をおもう時、魂の躍動を感ずる
永遠をおもう時、一道の光を感ずる

一　人生の行路

あなたは嫌（いや）な問題の少しも起こらないところを求めている。無理もない。しかし、静かに私の言うことを聞いてくれ。

人間の生きているところには、どこにでも、必ず問題が起きる。好きな問題が起きる限り、嫌な問題も必ず起きる。もしあなたが、嫌な問題の少しも起こらないところを求めるならば、それは人の一人もいない国にゆくより外はない。

嫌な問題が、あまりに多く降りかかって来ると、人間は疲れる。

あなたは今、疲れに疲れて、重い重い足どりで、トボトボとみじめな歩みを続けている。出来ることなら、側からそっと替わってやりたいとさえ思う。しかし、待て、小さい慈悲を起こしてはならない。歩きながら一緒に語ろう。

見てくれ、私もあなたよりも、もっと重い荷物を持っているのだから。

日は西の山に傾いて来た。おい、泣いているのか。淋しいに違いない。だが涙では何も解決しない。

おい！　荷物を下ろしてしまおうとするのか。

待て！　どんなに苦しくても、荷物を下ろしてはならない。

私も荷物を下ろそうとしたことがある。しかし、そのたびにだんだん重くなった。

あれを見よ。前を行く人も、後から来る人も、みな、一荷ずつ背負っているではないか。

私だって苦しみが好きではない。好きでないが故に、私に降りかかって来た苦しみだけは、私がじっと、黙って背負ってゆこうと決定したのだ。

なぜかと言うのか。誰も彼もが、自分の苦悩の原因を他人になすりつけて、騒々しくわめきたてるために、自分の上にも、他人の上にも、二重の嫌な問題が起こるではないか。

私が苦しみが嫌いなように、他人もまた苦しみが嫌いなのだ。それ故にせめて、私は私の苦しみをじっと抱きしめて、問題を広げないように心がけているのだ。

あれを見よ。かしこにも一組の人達がいる。見えるだろう。あのグループは大変に暗いらしいが、誰があんなに真暗にしているのか。

あれを見よ、中央に立って、一番皆を暗くしている男が、一番善人か智者かのように、ふんぞり返って権力をふりまわしているではないか。

あれを見よ。こうまで暗いのは、自分以外の者が悪いからだと、皆を責めつけて、苦しめているからではないか。あのグループは、あの男のために、だんだんと暗くなっている。

皆あの男が悪いのに、悲しいことには、眼が内に開いていない。

眼を転じて左を見よ。一人の特別に光っている老人が歩んでいるだろう。しかも誰よりも重い大きな荷物を背負いつつ、誰よりも軽そうに、若人の如く、歩みきっているだろう。

あの人の背負っている荷物とあなたの荷物とを比較したら、問題にならないほどあなたの荷物は小さいのに、それなのに、あなたは苦しみ、あの老人は明るく楽しそうなのは何故であろうか。

そして見よ。多くの人があの老人の側に集まってゆくが、暗い顔の人たちがみな明るそうになって、老人のような強い足どりで歩みはじめてゆく。

あの老人の過去の足跡を見よ。ずいぶん苦しい道を通っている。それだのに、その苦しみに負けていない。何故だろう。

あの老人は、足元を見つめて歩いているが、あの耳を見よ。何ものかが喚(よ)んでいるのを聞いている。無視することの出来ない声を聞いて、その声に生きているようだ。彼は素直に歩んでいる。

何? あの老人の上には、何か生きていると言うのか。そうだ。彼でないものの絶対の力が、彼の上に生きている。そのものの聖なる輝きが、老人の後光のように見えるのだ。あの老人は、世の中を明るくしているのに、自分ではそれを知らないのだ。知らないのみか、あれを聞け、

「俺の内心には、恐ろしい毒蛇が巣くっている。俺はおそるべき奴だ」と言っているではないか。

更に眼を転じて見よ。世をすねて、刻々と滅亡の断崖に歩みを続けている者。

ヒステリーをおこして、夫を火焔の中に焼きつつ、それなのに夫を責めている女。

そうかと思えば、あの恐ろしい火焔の中に包まれつつ、全く髪の毛一本焼かれない尊い相の人。

たくさんな世の相が見えるではないか。じっと色々の相について学ぶがよい。あなたのは、どこが悪かったのか。それとも他人が悪いのか。

あなたは、あなたを暗くする人のために敗（ま）けて来た。また時々、その人を取り除こうとした。またある時は、その周囲を治めようとして、随分の案を立てて、それを強いつけようとした。そしてその最後が今の絶望だ。

どれもこれも、まちがったやり方であった。それがわかるか。

あるところに、古（いにしえ）の高僧たちが一生かかって解いたような、尊い文句を何十と集めて、組織立った案をつくり、それを持ちまわって、人や社会を改善しようとして一生を費やした人があった。しかし、それは世の中をより悪く騒々しくしたに過ぎなかった。大切なことが一つ失われていたからである。

自分自身にその案を一度も適用しようとしなかったことだ。あなたもまたそれではなかったか。

二　人生と苦杯

若き日、それは人生の朝である。朝が一日中でも一番大切な時であるように、若い日は人生で一番貴重な時である。だが若い人は、それだけ、若い時を貴重なものに思っているであろうか。

若い日が過ぎ去った時、どれだけ若い日が大切なものであったか知れるであろう。

若い日には相当真剣に生きた気でも、過ぎて見ると足らなかったことがわかる。

そうした悔いを持つ者は私一人であろうか。

若人よ。どうか真剣に歩んでくれと、切念せずにはいられない。

病に悩んだ者でなければ、病のよくなる時のよろこびはわからない。

人生の暗さ、人の世のはかなさを知った者でなければ、人の世に対して深い愛を抱くことは出来ない。

甘い歓楽の酒の盛られてあった盃、その盃の中にはいつしかに、苦い涙が盛られてある。その苦い涙を飲むより外に、絶対に生き方がない。それが人の世のほんとうの相ではあるまいか。

逃げてもかくれても、どうしても飲まされる苦い酒、それを持ったままで困っている人。どうしたらいいのであろう。

その時になって人生の歩み方が二つになる。

苦い酒を飲むまいとする。それは人間に与えられた本能である。だが、それとはちがって別の心を持つのも人間である。この二つの心が戦ったのち、一つの道が見出されるであろう。

イエス・キリストが十字架にかけられる前夜、ゲッセマネに入ってただ独り神に祈った心、

「父よ爾（なんじ）においては凡（すべ）ての事、能（あた）わざるなし。この杯を我より取りたまえ。然れど我が欲う所を成さんとするにはあらず、爾が欲（おも）う所に任せたまえ」。

前には、恐るべき十字架という苦い杯が待っている。その杯をもって二つの心がおこる。キリストの心はよくわかる気がする。

やがて、苦い杯を、素直に、静かに受け取る心がおきた時、その彼方には、深い愛と、黎明が待っていよう。

受け取るまい、飲むまいとして、騒々しく逃げまわる時、ついにその苦い味さえ、ほんとうにはわからず、更にもっと大きな混乱と、悪い状態がおきてきて、そこに何ものをも見出さないで人生が去ってしまうだろう。

苦い酒を飲むまいとする人間の態度によっては、苦い涙の事実が解決されはしない。

杯を手にしたままで、じっと考えて見るがいい。

今、世界の一切の人間が大きな苦い杯を持たされている。その苦しみが、手のひらをかえすような方法で簡単に解決されないことが、いよいよ知らされて来た。特に、杯を他人にもたせて、自分だけよいことをしようとする世界各国の態度によっては、ますます苦しみを深くすることを知らさしめた。そして明日にもすぐ解決してやるような言葉がすべて一片のそらごとであったことがわかった。

苦しみが共同の苦しみとなった時、そこから深い人間愛が生まれる。

父親の貧しさを知りつくす時、子供はじっとしていられない。恐らくほんとうの孝行人は、工場で働いている女工さんたちの中にあるのではあるまいか。

一家、一団体、一社会、一国が共同の苦しみを苦しみとする時、はじめて、自分自身を救う道がわかって来よう。

仏は無我をお説きになった。無我の心は、ほんとうに苦い杯を飲み乾す心である。

仏心とは、一切衆生の苦い杯を一人で飲み乾そうとなさる心である。

正しいみ教えを聞こうではないか。ほんとうにみ教えを聞いて、合掌して苦しい杯を飲み乾すことが出来る日に、無我は我等によって実証される。

如何に受け取るまいとしても、手に渡された杯は必ず飲まされるのだから。丁度、死はもがいて逃げても受け取らねばならぬように。

若い日に流した汗の量、苦い杯を持った量の多少は、その人の晩年になった時の美しい華の多少に関係をもつ。

若い人よ。無我の実践者になれ。苦杯をさけるなかれ。

三　若人よ起て

両親に死に別れ、兄を失い、天涯狐独、その上とかく病気がちである。幾度職を求めても得ない。私は君に同情する。

悲観厭世に陥り、前途を憂い、過去を歎き、涙の人となって暗に人生を呪うのも無理はない。

だが――

私は信ずるが故に、君を叱咤する。

「青年よ。涙の谷底より起ち上がれよ！」と。

獅子は、子を産むや三日にして谷底に蹴落として、はい上がって来るもののみを養うと言う。

君一人に生きる天地が与えられないはずはない。

生きる道は必ず開く。信じて起て、涙を払って立ち上がれ。

私だって明日より、八百屋となって街を荷車をひいて歩かねばならないかも知れぬ。

その時私は誰よりも精出す八百屋になって見せる自信がある。

あたっては砕け、あたっては散る磯の波が、波より堅い巌をうがつではないか。

君は学校を出た。学校を出さえすれば、すぐその日から月給にありつけて飯の食えたのは昔のことだ。学校を出たならば労働しないですむと思ったことがまちがいである。

どんな仕事でもいい。与えられた仕事に精進すれば、よろこんで生き得る天地は必ずある。

職があるまで力を落とさないで求めてゆけ。決して自暴自棄してはならない。

人には一代幾度かの苦難がおとずれる。

その時、じっと忍べ。過去を追憶する時、棄(す)てることの出来ないなつかしい絵巻物は、必ず、その苦心惨憺(さんたん)の時の記憶である。しかもそれは勝ちつづけて、新しい道の開いた時のことである。

あとになって考えた時、私に一番薬となったのも辛苦の経験であり、体験を通して自信がつき力がつき、我がものとして語り得る生きた学問の出来たのもその時である。

「生き虫に餌たえず」という。確かに人生に苦労した人の言葉に違いない。

石州(せきしゅう)の清さんは目が不自由であった。一度だって人に礼を言ったことのない男。屋根は破れ、雨は家の中に降り込むので、村人が、家を造ってやった時も、「お前の恥になるので家を作りおった」と言い、入口が一つだったので「貴様らは、俺を狸と間違えたか。入口が一つしかないではないか」と怒鳴った。目が不自由で悪たれ口をきくことより外知らない清さんを、それでも村人は餓えさせなかった。

ものを受けたら、礼を言うことを知り、手にかなったことを働く心があり、与えられねば求めてかかり、それでもまだ飢えるのならば、自殺しなくとも、水をのんで、床に横たわって死を待つべし。

死より先に、何ものかにふれ何事かを体験するであろう。

多くの人は諦（あきら）めずして苦しむ。

諦めるとは、「あきらかにみる」ことである。ものを根本まで考えてゆくことである。

「事実にもないことを疑われて苦しい」

その怒りを苦しむより、

「自分は決してそんなことをしてはいない。していないのを世間が誤解した。しかし、自分が生きているのは世間から認めてもらうためではない。右手がしたことを左手が知らなくてもいいのだ。自分のことは自分が知っている。仏が知っている」

考えぬくこと、言い訳をしないでも、悪（にく）まないでも、すいすい歩ける。

病気になった。先のことが心配だ。家内がどうにかしてくれる。親族もある。それらが助けてくれる。くれなかったら……餓えて行ってもいい。そこまで諦めると、すっかりおちついた世界に住むことができる。

だが君が今泣いているのは、決してそこまで行き詰まってではない。

暗い顔して終日考えこんだって解決はつかない。

職が得られなかったら、読書せよ。三度の食事を二度にしてでも、石油箱を机のかわりにしてでも、がっちり読書した幾年かがなくては、立派な人にはなれない。心を大胆にもって静かに今自分を培ってゆけ。

ちょっと考えた時、客観の条件が君を殺すような気がする。だが決してそうではない。ただ一つ足らないものは金剛不壊（こんごうふえ）の大信念である。動かすべからざる腹である。火の中でも水の中でも、いかなる苦悩の中でも、歩みきって行く意志が生まれた時、そこには、必ず広い道が打開される。


若人よ。

くれぐれも君に同情する。だが私は、君の周囲が悲惨であり、淋しく孤独であることに同情するよりも、もっと君が、温室の花の如く、今日まで弱々しく育って来た君の過去の幸福に同情する。


若人よ。

その逆境を喜べ。枯れる葉は枯らせよ。落ちる花は落とせ、しかして今一度、霜雪と戦って、芽を出し、枝を伸ばし、花を咲かせよ。

汝の真価はただそこからのみ生まれ、汝の光は苦闘によってのみあらわれる。

敢て叱咤す、
青年よ。涙の谷底より起（た）ち上がれ。

四　人生とさびしさ

人生とさびしさ

聖講習会の一夜、「さびしさ」ということが問題になりました。その時感想を語っておきましたが、それからも考えつづけましたので、書いて見ることに致します。

嬰児が火のつくほどやかましく泣きます。母が抱いてやれば泣くのをやめます。小学校の児童たちが、

「あおい月夜の浜辺には　親をたずねて鳴く鳥が
波の国から生まれ出る　濡れたつばさの銀の色」（鹿島鳴秋）

と歌っています。歌いっぱいにさびしさがただよっています。人に歌われてゆく歌は、どこか人生にふれたものがあるからである。特に人生のさびしさにふれているからであります。

だが世の中には「人生のさびしさなんて弱々しいことをいうのは嫌いだ。我等は強く生きるのだ」という人がある。果たしてそれが真の強さなのでありましょうか。そして、そうした態

度でほんとうに人生の淋しさが解決づけられるでありましょうか。

まことに人が、外面的にばかり生きていて、多忙を続けている間は、さびしさはないかも知れません。しかし、それはほんとうにさびしさが無いのであろうか、あるいはさびしさが何かにまぎれているのではあるまいか。

こうした種類の人たちは、よく享楽に走ってゆきます。目と耳と鼻と口と体との享楽が満たされる時、さびしさはないもののようである。こうした人は浅薄に人生を肯定してかかる。

「この世をば我が世とぞ思う　望月のかけたることもなしと思えば」

藤原道長のこの人生の肯定の仕方は、多くの人に求められます。しかし、この態度が一生の間続けられるでありましょうか。こうした言葉は、むしろ華やかで幸福でありたいと願っている心のあらわれではあるまいか。享楽的人生肯定者は、そうであるというよりは、そうありたいと願っているのではありますまいか。確かに常識の世界では、人は皆こうして、人生のさびしさに背をむけて、限りなく享楽的でありたいと願っているのではありますまいか。

人の世の真相

しかし人生は、全ての人に、何時までも、淋しさを味わわしめないではおきません。シッダルタ太子は、華やかな王宮の栄華の影にひそむ人生の淋しさを凝視せずにはいられなかった。

美姫たちの美しい乱舞の側につきまとう淋しさを見のがすことは出来なかった。ましてや、人生の生、老、病、死の真相を知る時、生きるということの如何に淋しいことであるかを、どうすることも出来なかったのであります。

人生には死がある。この自分がやがては死んでゆく……ごま化すことも、さけることも出来ない厳粛さを以て、淋しさは歩みよって来ます。

恋人同士は、刀葉林地獄の剣の山を登っているのである。一時離れていることにも淋しさがあろう。だが、やがて結婚した時、その淋しさは癒されるか。夫と妻との間にすら、言いようのないさびしさがわだかまる。愛すれば愛するだけ「言いようのない淋しさ」がつきまといましょう。

生の影には死がひそみ、喜びの側には哀愁が伴い、盛んなるものの裏には衰亡の因をはらむ。勝ってさびしく、敗けてさびしく、笑いの極にさびしさがあり、喜劇の裏にも涙がある。しょせん人生はさびしさである。

二種のさびしさ

だいたい人生には二種のさびしさがあると思います。

一、何ものかをもっておきかえることの出来る淋しさ

二、何ものをもってもおきかえることの許されぬ寂しさ

前者は、生きることに付随したさびしさであり、後者は、人生それ自身のさびしさであります。

子供が死んだ親のさびしさ、夫を失い、妻を失った者のさびしさから、人間大部分の淋しさは、何ものかによっておきかえられそうな淋しさであります。

多くの人は、さびしさを救うとは何ものかをもってそれにおきかえ、あるいはさびしさを解消することだと考えております。果たして、何ものかによって打ち消したり、おきかえたりすることが本質的な救いでありましょうか。人生の歩み方の分かれてゆく重大な問題でなくてはなりません。社会に存在する嫌な享楽機関の大部分が、こうした淋しさの慰安所であるかも知れません。しかし、淋しいが故に他の何ものかを漁（あさ）ってゆくことは、生きることの大きな堕落ではありますまいか。

救い

さびしさをゴマ化さないで、さびしさにたえ忍び、人生の真相に目覚めて、もっと深い世界に歩みを運ぶ者こそ、やがて救われてゆく人でなくてはなりません。淋しさを救うことはさびしさに直面すること以外にはあり得ないからであります。

こうした人は、地上の甲から乙、乙から丙と享楽的なものを漁るかわりに、深い世界を求めてゆきます。この相こそ、求道の態度でなくてはなりません。大胆にさびしさに直面します。そうして人生の真相にわけ入って、意味を発見し、あきらかに見、やがて道を発見します。

第二のさびしさ、即ち、人生そのもののさびしさは、こうして第一の淋しさを忠実に体験して、それでゆかない人にのみ与えられることであります。人生そのものの寂しさは、他の何ものによっておきかえることも出来ないし、又おきかえようとも致しません。人生全体、生きることの全面にただようた寂しさであります。

救いとは、淋しさから、寂しさに歩むことであります。淋しさから、寂しさに歩むことこそ、生存から生活への転回でなくてはなりません。「寂」の天地に呼吸する時、淋しさが、尊い世界への通路であったことに気づくのであります。

寂と浄土

お浄土のことを「涅槃寂静（じゃくじょう）」と言ったり「寂静無為の楽（みやこ）」と言います。一切群生の魂の故郷であり、真実生活者の道の本質であり、唯一、絶対、最高、至純なる彼岸であります。これなくしては我等の生活は考えられないという彼岸であります。全一なる聖それ自身であります。

我等がこの寂静の天地に通い得るのは、唯、「寂しさ」の世界においてだけであります。

「寂」の世界こそ、寂静の彼岸に通う世界であります。

「無量寿如来に帰命し、不可思議光に南無したてまつる」という信の一念は、淋しさから寂しさに転入して、人生や自己の本質にふれた者にのみおこし得る智慧の世界であります。智慧とは、ありのままを見たる寂そのものであります。彼岸から今一度人生を見かえす眼こそ、人生の相を真に知るでありましょう。如来なくして、何で自覚があり得よう、智慧は如来それ自身でありつつ、しかも寂の世界に住む者の眼であります。如来の智慧を恵まれること以外に真実の救いはあり得ない。救われた人、真の道の人のみ、人生の、我のありのままを見とどけて歩むことが出来るのは、寂の天地を知っているからであります。

寂の世界

小さく縄ばりしたような世界、善悪がせせこましく角をつきあわせている所、生命の枯れた、思想と思想がかち合っている所、そうした型の固定、囚われ、はからい、裁き、等々のある所には「寂」の世界はあり得ない。

船一艘(そう)見えない大洋の大きなうねり、青く澄んだ深い淵、わけて入る秋の密林、そうした世界を見るような、何ものにもこだわらず、固まらず、とらわれず、あるがままに生きた世界に「寂」を見る。

釈尊、親鸞聖人、良寛、芭蕉、一茶……そうした聖者たちの上に、無限にひろがる「寂」を見ます。淵のような深さを、大洋のような大きさを、夕陽のような偉大さと静けさを。

そうしてこれ等の聖者たちの背後に、普遍絶対の如来を、生死動乱を超えたる寂静の楽(みやこ)を肯定することなくして、その明らかなる智慧と、純なる感情と、強き意志とを了解することは出来ません。

如来の真実なる勅命を聞き、全一なる彼岸への道を発見し、謙虚に真理の前に合掌して具体的一の世界に呼吸することが出来るのは、唯この寂の天地においてであります。

「心ここにあらざれば、食えどもその味を知らず」

見て見ず、聞いて聞かず、読んで読み得ないのは、心がここにないからであります。

心が常にここにある——騒々しい時にも、静かな時にも、順境にも、逆境にも、火にも、氷にも、そして全てに、心がここにある。「寂」とは心がここにあることであります。

茶道に達した人は、一挙手一投足の中にも、天地の寂を封じこめています。

日本には「もののあわれ」という言葉があります。外国の言葉にはこれにあてはまる的確な言葉がないそうであります。普通に言っている「哀れな話」などという時の「悲哀」という意味ではありません。

もののあわれを知る心は寂しい心であります。全一なるものの見方をすることであります。人生そのものの寂しさに生きる心であります。ありのままが光っている世界にとけあった境地であります。智慧と慈愛とにふれるものの相であります。

信心歓喜

「聞其名号(もんごみょうごう)、信心歓喜(しんじんかんぎ)」……その名号を聞いて信心歓喜する。

如来を聞くということによってのみ信心歓喜の世界に生まれます。歓喜が信心ではないが、信心には必ず歓喜がともないます。

寂しいということと……歓喜ということ……そこに大きな矛盾があるようであります。はたして矛盾でありましょうか。それは決して矛盾ではありません。涅槃の大楽(だいらく)が味わわれることによって、生死界は苦であると諦(あき)らかに信知するように、信心歓喜は「寂」の中にのみあり得るのであります。さびしさを無くすることによって救いがあるのではなくして、解消することも、なくすることも出来ない、又、無くしようともしない「寂しさ」こそ、真実の信心歓喜の生きる天地であります。如来のみ心の顕現する世界であります。

聖人は、信の世界を「歓喜賀慶の心」と言い、「広大難思の慶心(きょうしん)」と言われました。真実に生きる者、如来に生きる者、正法を食物として生きる者によろこびがなくて何としましょう。しかし、それは淋しさを無くしてくれるとか、楽になるとかといったような一切の功利的な心の動く世界ではない。限りなき暗と光との揚棄された、歓喜と寂との統一された世界であります。

阿片

ただ注意しなくてはならないことは、淋しい世界から寂しい世界へと深まってゆくことを忘れて、何かでおきかえられる淋しさの中に仏の観念を抱いて慰安場所にしている危険であります。子供を亡くして泣いていた人が、如何にも信心者らしく見えたのが、次の子供が生まれると、何時のほどにか仏も道も棄ててしまったとか、未亡人が再婚すると仏がなくなったとか、こうした場合は宗教はお酒や阿片の役割をしていたので、淋しさに堪えかねて、淋しさをなくすることに、まぎらわせることに使われていたのであります。こうした人にとっては、必ずしも仏でなくてもよかったのです。

喉元すぐれば熱さ忘れる。その時その時の淋しさや苦しさを誤魔化して生きてゆくことは、決して真実に生きることではない。

我等がほんとうに仏の道を聞かせてもらう時、こうしたごまかしはゆるされない。寂の世界に仏を生きる、絶対自由の大信海(だいしんかい)は、寂しさの中に開けるのであります。

五　言葉

人間の思想も、信仰も、人格も、生活も、徳も、罪悪も、すべては言葉となって現われる。故に、言葉が人生を生み、社会を造る。

大聖(だいしょう)には大聖の言葉あり、悪逆には悪逆の言語がある。故に、言葉のレベルがその人の品格を決定する。

人一人として、一日中言語を使わないでは生きられぬ。

言葉について反省し、修養することは、我自らを成就することである。

釈尊は、凡夫の言葉に、綺語(きご)、妄語、悪口(あっく)、両舌の四悪があると誡(いまし)められた。四悪は唯に無益であるばかりでなく、自他を亡ぼす言葉である。

終日語るも、四悪を出でず、一生語るも、四悪にすぎず。沈黙するに如かず。四悪、四悪を知らざるが故に、ますます駄弁を弄す。

沈黙の工夫あって、言葉を選ぶべし。自己を培って、はじめて金玉の言葉生まれるべし。

毒舌、人を殺して、やがて汝が身に帰り、汝を孤独に葬り、

善語、人を生かして、やがて汝が身に帰り、汝を楽園の主とす。

他人の善語にも、毒舌をもってするは悪魔である。毒舌に、毒舌をもってし、善語に善語をもってするは凡、善語に善語をもってし、毒舌にも善語をもってするは賢者である。

世界万国に響くも言葉であり、未来永遠に残るもまた言語である。

人生の本質にふれた言葉を聞いて、人生の本質にふれ、一言でも一句でも、人生の本質にふれた言葉を残したい。故に言語の問題はついに自己充実の問題である。

六　病む人に贈る

最後の宣言

あなたは、とうとう病の床についてしまいました。

あなたが青い顔して、それでもまだ床にもつかないで、ブラブラしていたのは昨年の春でしたのに、今ではもうバッタリ横になって、歩くことも起きることも出来なくなりました。

田舎で医師の手にかかったあなたが、どうもはかばかしく癒えて行かないので、街の病院で診察を受けました。でもその頃は、あなたは「きっと、私の病気は治るのだ」と信じていました。

しかし病院での診察は、あなたの病気はかなり進行していて、なかなかの重患であることを告げました。

あなたはその時から「私の病気は治るのかしら?」と疑いはじめました。死ぬるのじゃないかしらと思うと、あなたはたまらない暗黒の中に沈みます。少し熱の下がった日や、天気がよくて、気分が爽であったり、食事が少しでもおいしい日には「私は治るのだ」とあなたは明るい気分になります。「死ぬるのじゃないかしら」との疑いが、「私は治る」とおきかえられた時だけ、あなたは救われるのです。

しかし、秋から冬に時候が変わる時、たとえ、昨日より今日は暖かであっても、波状線を描きつつも、だんだん寒くなるように、終にあなたの病は重くなってゆく一方でした。

そうして「私の病は治る」という自信は、だんだんくずれて来ました。とうとう医師は最後の宣言をしました。

「まだ、今すぐとは申しませんが、この度が最後です。医薬の力ではどうにもなりません。まあ栄養に気をつけておゆきなさい」。あなたは遂に、人間が最後に受け取らなければならない宣言を受け取ったのです。

絶望

それは鬱陶しい梅雨の夕暮れです。庭には花一本見あたりません。八つ手の葉が雨に音を立てています。

毎日のように細りゆく体を見つめて、暗い心になります。雨の音すらが、いやな死の楽(がく)でしかありません。

「私は死ぬるのだ！」

二十八歳になったあなたが、こう考えた時、大きな鉄槌で打ちのめされたように、一切のものが打ち壊されてしまいます。そこにおいてある薬瓶の貼り紙にすら「無価値」と書かれてあるような気がするそうです。もう医薬はあなたの力ではありません。

地上は寂しい所です。生まれたものは死し、出来たものは壊れるという宇宙の鉄則が動かない以上、百千の博士も、霊薬も、最後のものではありません。人類の生命を人間の力で寸陰でも延ばし得るのであろうか。否、博士も、祈禱師も、それ自身が滅んでゆくものである限り、我等の前には人間一切の手のとどかない世界が待っています。医師の存在する理由も亦、人間が死ぬるものだからでもありますが、死の前には一切の営みが絶対的価値を失ってしまいます。人間の仕事の一切は遂に相対的な解決しか与えてはくれません。

あなたの病床の隣部屋には、書棚に金文字の本が列んでいます。若いあなたにとっては、書物はあなたの生命でありました。だが今のあなたにとっては、それはもう用のないものでありました。

人間はしょせん名誉の子であり、地位の子である。

人間は名利の子であり、欲望のかたまりである。

更に思想の子であり、主義の子である。

しかし、今のあなたにとっては、それらの希望が、光明が、歓楽が、そしてその他の一切の美しい殿堂が、一度に幻滅の悲哀の中に、くずおれてしまいます。「死などについての不安は科学的無知から来る」と主張したあなたであり、「生まれたものが死に、咲いた花が散る、ということは当然なことだ。宇宙の物質的法則にすぎない」と信じていたあなたです。

それは一つの正しい思想ではある。しかし、主義や思想が今のあなたを救ったでしょうか。あなたは一切の思想の権威が、主義の地位が、今のあなたにとっては、あなたのいる世界よりも遙かに遠いものであることがわかって来ました。

あなたは今や、全く人なき灰色の曠野に独り立たされてしまいました。

死

あなたは、幾度も死に直面すまいとした。あなたのみならず、あなたの周囲の者すら、「シ」の音すら、文字すら見せまいとした。しかしそれは一時の安慰を偸もうとする姑息な虚偽でしかなかった。喀血する結核患者は、赤の色を見るのすら嫌うという、しかし死ぬるのが当然であるものは、大胆に死に直面したがいいではないか。

ああ。死こそは、諸行無常の自覚こそは、価値の一切を転倒する。

「世人薄俗にして共に不急のことを争う」との釈尊のみ言葉も、ここから生まれたのではありますまいか。

あなたは今、遂に人生を最深の暗(やみ)において見出したのでありました。それはただ一切からつき離された絶望である。一切のもがきが役立たない死である。しかも絶対に生を求める。

永別

生まれ出ずる時、何ものを持って生まれたか。
死ぬる時、何ものを持って死ぬるか。

あなたの今は、明らかに死より外何物もない。あなたからは今、ボツボツと一切のものが離れてゆく。あなたは側につきそう奥様や、お母様を見つめて、近い内に別れねばならない寂しさを訴えて泣きました。如何に愛しあった間であっても、永遠に別れねばなりません。死が我等にいたましいことであるのは、愛し合うた者と永遠に別れねばならぬからでもあります。寂しそうなあなたを見て、お母様や奥様は、たまらない寂しさと悶えの中に落とされましたが、どうなさることも出来ません。ああ永遠の別れ。あなたは遂に浮かぶことの出来ない苦悶から救われようとあせり始めました。

宗教

あなたはしかし、ここまで行き詰まらない以前から宗教の世界に頭を入れていました。あなたが侮辱さえしていた宗教に。それは当然のことでもあります。

あなたは死の自覚と共に、いよいよ真剣に求めました。そして悶えつつも、苦しみつつも、あなたは懸命にあなた自身を救いあげようとあせりました。腹が空いた時、食を求める心、青春期に異性を求める心、それは人間の全体をあげての本能であります。苦にみちた人生、滅亡に直面した者の心、一切の業苦から超えようとする願い、金剛不壊の信心に生きようとする欲求、しょせん、宗教的欲求は人類の本能的願求であらねばなりません。

宗教的信念を求めようとする態度は、厳粛なる人生を感ずる心であります。我等は大乗経典に打ち向かう時、尊厳なる態度を人生に対してとらねばならぬことを感じないではいられません。

現代はまことに、エロ、グロ、ナンセンス、見るものも聞くものも遂にそれだけであります。そうした現代人が、動物的であり、本能的であり、感覚的であり、享楽的であるのは無理はありません。しかし死を考える時、我等は厳粛に襟を正さないではいられません。誠に人生の一切の問題が、最後に至って不可解になるのも、そして人生が深さをもって来るのも、厳粛になるのも、複雑になるのも、それは「死」があるからでありました。この死を当面の問題とする時、宗教は最深の要求となって表れて来ました。もちろん、死を当面の問題にしなくても宗教の問題はおこります。しかし死がなかったならば、凡百の問題は人生から消えてゆきます。

あなたは今、必然の死を提げてその解決を求めて来ました。

釈尊も、龍樹も、曇鸞も、親鸞も全てがこの生死の問題の解決から出発しました。

大信海に

親鸞聖人は、御本典の信巻に於て「大信心は則ち是れ長生不死之神方」と断言せられました。ああ、長生不死！　何という権威をもった言葉でありましょう。そして、阿弥陀仏のまたのみ名、無量寿如来、それが如何に力強く我等にひびきましょう。

如来は無量寿であり、無量光である。その如来の生命の一切が全的に回向せられることによって我等の救われが成就する。如来の絶対が絶対のままに衆生の上に来現する力、それを大願業力と言い、本願力と言われます。親鸞聖人は、この本願力の前に一切のはからいを棄てて、全体を投托されました。

「本願力に乗托すること」それ自身が救われでありました。「信」とは衆生の一切のはからいが本願力の前に亡びつくされた相であります。我の全てを没しつくして、如来と一体に目覚める。凡情のありのままを、ありのままに如来に摂取される。

私が如来を信ずるのではなくて、信とは如来それ自身の相であり、如来心それ自身の全体でありました。したがって、亡びる私のあらゆるもがきが私を救うのではなくて、如来心をつかむのではなくて、如来心こそ、我の上に動き、信じ、発願し、回向し、つかみはたらきかけるのでありました。

あなたは遂にこの如来の願心に覚(さ)めました。生きるも死ぬも、幸も不幸も、その一切をあげて、如来の大信心に直入しました。

病むあなたは病むままに病まぬ如来に抱かれ、善悪、智愚、浄穢を超えて、如来の大悲懐中に安住することが出来るようになりました。

安住

多くの求道者が最後に至って行き詰まることは、自分の片手では神をつかみ、その片手では現実に生きようとします。しかし絶対他力の世界では、右手をはなし、左手をはなし、右足、左足、その他一切をはなして、その全体を現実の中に打ち込みます。両手のすべてを現実に打ち込んで安住することが出来るのは、仏こそ、私の上に動き、我をつかみ、我に生きたもうからであります。祈ることによって神をひきよせることではない。懺悔(さんげ)をつづけて神の意を迎えるのではない。善悪の整理によって、仏をよびさますのではない。一度如来智慧光の前に、はからいの全てをとられた時、「回心ということただひとたびあるべし」。仏心と凡心とは完全に一体である。如来心の全ては、我等の現実に打ち込まれてあるのでありました。病む者は安心して病むことが出来、泣く者は心配することなく泣くことが出来る。死にたくないものは死にたくないと叫びつつ死んで行っても、それの中に安住があります。

あなたは今、安心して人間性を、あなたによってつぶさに凝視しています。その出で来るままが如来の大信海にいます。出で来るままを、出で来るままに抱いて、愚を賢に、悪を善に装わなくてもいい世界に生まれ出でられたのでありました。

金剛不壊（ふえ）、それはかたくなることでもなく、持ちものを力にするのでもなく、奪いつくし、はからいつくし、捨てつくした世界であります。あなたの顔は晴れました。安らかな美しい微笑があなたの上に生まれました。もうあなたは、死について悶えるあなたではありません。

あなたは、全く更生しました。死をその前途に見つめつつも、あなたは洋々たる広い世界に、死を惜しみ、生を味わっています。

願わくば、一日でも長く大地の生を続けられて、人間最後の喜怒哀楽を味嘗（みしょう）し、あなたのなすべき全てをなしつくして安らかに往生せられますよう。最後の一呼吸までが、あなたの周囲の方々には尊い印象を残すでしょう。あなたは今こそ、あてにならぬとつきのけた、お母様、奥様と一如の世界に親しまれています。人間の最後の一呼吸までの一言一行すら、それが絶対の聖に通じていることを思う時、あなたは最後まで微笑し、合掌して大地の終焉をおつげになることが出来ると存じます。さよなら。

七　無碍道は苦中に開く

様々な苦悩を訴える手紙が私の机上に積まれる。皆それぞれの事情のもとに、違った形の苦しみである。

しかし、訴えられる私もまたどうしようもない苦しみの波にもまれて生きているのだけれども、私自身の苦しみすらも忘れて、苦しむ同胞のことが思われてならない。お互いに苦海に沈没せる身であるが故に、共同の問題として考えてゆこう。

いかにしたら、この苦悩の中に生きてゆけるのか。油断のならぬ苦海ではある。一難去って一難来たり、一苦過ぎて二苦三苦、果てしも知らぬ苦悩の世界である。この苦悩の為に己が世界は足元から崩れてゆく。この苦しみの中にいかに生きてゆくべきであろうか。

もちろんその根本は、如来金剛不壊の大信力によってのみ解決するのではある。しかし、そこにはまた、それを妨げる様々な問題があり、心の声がある。私は今、静かに念仏しつつ、次のようにお答えする。

一、「こんな苦しみを私だけがしなければならないとは何と馬鹿馬鹿しいことだ」という心の声、もっともである。これは誰でもが持つ心であろう。この境遇に対する不平をどうすればいいか。だが考えて見よう。「馬鹿馬鹿しい」とは、どういうことであるか。それは苦しんでもそれに報いられないということであろう。無理もない。

しかし考えて見よう。そこには大きなまちがいがある。静かに念仏しつつ考えて見れば、それは「この世では荷物の軽い、楽に暮らせた者だけが勝ったのだ」という大まちがいが、その第一歩におかれてはいないか。荷物の軽かった、楽に渡れた者が勝利者であるか。真に自己を成就した者が勝利者であるか。

巌上の松が風雨にさらされる。楽ではないに違いない。しかし彼が果たして失敗者であろうか。何もかも、彼の上に報いられて充分ではないか。因も縁も果も、自ら播いたものが実ったに過ぎないが故に、何でも起きて来たことは受け取るのが当然である。受け取って更に求むべきではないのに、その当然のことを成就した者は、必ず世の光とさえなっているではないか。

念仏とは、無価値であるべき衆生の上に、久遠の真実なる大生命を打ち込んで下され、尊重なる一生として下さることである。されば見よ、過去の聖者は苦難によっていよいよ輝き、苦難によって益々尊き生涯を成就しておられるではないか。

一、「忍べと云っても程がある。もう勘弁ならぬ。腹が癒えるほど、やっつけてやりたい」

人と人との経緯、仏のいわゆる怨憎会苦（おんぞうえく）である。いかに多くの人がこの苦しみにやられているかわからない。実に怨みより深く胸を焼く苦しみはない。

「しかし忍べ」。答えは簡単である。怨みの問題であるならば、私は敗（ま）けたい。もし仏様にお願いしてもよいものだとすれば、私はみ仏に「仏様、我をして破れさせたまえ。我をして敗（ま）けさせたまえ」とお願いする。私は限りなく私の父にひきつけられる。その原因の一は、父はいつも、何か事がおきた時、痛々しくも敗けて、沈黙してしまっていた。やがてひとり静かに念仏している父であった。

怨みの苦悩、その大部分は、敗けたことの口惜しさと、勝とうとする我慢（がまん）が一人角力（ひとりずもう）を取って苦しんでいるのではないか。この時ばかりは、忍べとは、敗けよと言うことである。私は私の魂に言って聞かせる。「敗けよ。敗けよ。敗けて敗けよ」。世間では「敗けて勝て」と言う。私は「敗けて敗けよ」と言う。敗けて破れた灰の中から、念仏が生まれる。それが、釈尊以来の忍の道であった。敗けてくれぬ我慢こそ、我が唯一の敵である。

「私は悪いことを致しました。その報いが来て、世間の嘲笑の的となってしまいました。とても生きて行けません。いっそ死んでしまった方がましだと思います」。罪を犯した者の当然の心であろう。悪に対して厚かましくなるのは恐るべきことである。慚愧のない者は畜生だと経には言ってある。しかし、無慚無愧が畜生だと言うことは、死ねと言うことではない。苦しい心はよくわかるが、決して自殺したり、人の知らぬ世界に逃避しなくてもいい。もっともっと深く自己の相に直面して、自分のほんとうの相に帰ることである。み仏の前に合掌して、悪人正機の大慈悲に徹しきることである。そこから、世のいかなる嘲笑にも値する自分がわかり、尾にヒレをつけた無理解な言葉にも沈黙して、ひたすらに念仏一道を歩みきる時、人生のどん底に秘められた、苦中の清涼味を知るであろう。

「私は貧しくて、子供があり、病弱で、先のことが心配でなりません」と言う人がある。先のことを予想して苦しむことが流転相の一つである。私もまた、貧しい者の苦しさや不安は、ここ二十年一日たりとも廃業したことがない。どれだけ痩せ我慢したところで、借金が出来はじめたりすれば、安心してはいられない。だがこの種の苦しみを持つ人に言う。

「念仏申して生きさせてもらおう」。体が動く間、働こう。働いて念仏申そう。もし働くことが出来なくなったら、恵まれるままを合掌して受けさせて頂こう、恵んでくれる人もなくなったら、餓死をも覚悟しよう。下りることを嫌ったのでは、苦しみは二重になる。ただこの世は念仏申さるるように過ぎて悔いなきに至れば、未来を予想しての取り越し苦労はなくなるであろう。

金剛不壊の真心に乗托して念仏しつつ苦悩に随順する者にのみ、苦悩の中にも永遠の無碍道が示される。これ人生に於ける唯一絶対の道である。

八　時

島から広島に帰ると、街には、東郷元帥の薨去（こうきょ）を知らせる号外が出ている。沈黙の英雄、軍神、聖提督等と、一世の尊敬を集められた元帥も、八十八歳という御高齢で、如何に国民が惜しんでも如何ともすることは出来ない。

時……街には、元気な人、若い人が、右往左往、力いっぱい動いている。しかしこの人たちも皆、時の前には何の力も持たないのだ。善人も、悪人も、裁判長も被告も、無病の人も、病弱な人も、治す博士も、治される病人も、誰も彼も、あわれ、時の前にはことごとくみな平等である。何も彼も時の中にのみ込まれて消えてゆく。

時は、すべての解決者である。

如何に大雨も百日とは降り続かない。如何に大風も十日とは吹き続かない。すべては時と共に起こり時と共に移り、時と共に解決されてゆく。

時は一切の審判者である。

時は一切の装われたる者の仮面をぬがせ、埋もれたる者の光を輝かせ、亡ぶべきものを亡ぼし、興るべきものを興らしめる。

あわれ、昨日の大官も、今日は裁きの庭に罪をあばかれ、今日の権勢も、明日は転落の淵に沈む。

一悪を行うも天は必ずしも罰せず、二悪三悪、勢いに乗じて、富を得、地位を得て世にはびこる。やがて、一悪の曝露する時、衆悪一時に花咲いて、白日のもとに曝されて、世に葬られる。

一善、世にあらわれず、二善、三善、黙々の努力も顧みられない。然れども、天道決して無情に非ず、やがて内に徳の成就されるにしたがって、一善光り、二善輝き、ついに世の光となる。徳の光は何をもっても覆うべからず。努力による充実は、必ず世の認むるところとなるであるから、世の批評に心を奪われることなく、ただ努力せよ。精進せよ。

世に才子がある。極めて有用の材と見えて重く用いられる。世に極めて質実な歩み方をする青年がある。誰にもあまり重んじられないが如くである。五年十年の後、その才子はどこに、その青年やどこに。

周囲のすべての人によって非難されていても、歯を喰いしばって忍ぶがいい。そしてただ黙々の努力精進を継続せよ。今日の絶讃の嵐が、十年の後まで持ち続けられはしない。今日の疑いが三年と続きはしない。今日の讃美が、来年の不真面目の埋め合わせにはならない。

世に許すべからざる罪悪を行い、社会に頭の出されないと悩む者よ。いたずらに煩悶することなく、大乗的大転回をとげ、仏の大慈悲に更生して、黙って努力精進の大道に出発せよ。罪のつぐないは自殺によって消えず。

「先生は、人を信じすぎるからいけない」。この忠告を聞くことは久しい。しかし、私は今も、人の悪所欠点はなるべく見ず、長所美点のみ見て、正面から人を信じてかかる。その言葉をもちろんである。裏切る人が悪いのか、信ずる私が悪いのか。裏切られた者が不幸か、裏切った者が幸か。時のみがすべてを解決する。

久遠から永遠を流るる時を思う時、栄枯盛衰、治乱興亡（ちらんこうぼう）、毀誉褒貶（きよほうへん）の一切を超えて、永遠に現在に君臨し、招喚する者の心に帰る。逆境悲しむに足らず、順境たのむに足らず、毀（そし）られて悲しむに足らず、褒められて有頂天になるに足らず、久遠の真実なるものの大心海に全我を投入する時、はじめて、世の一切を超えて安住の一境を体解(たいげ)する。南無阿弥陀仏。

時は、温かき慈母であるか、冷たき審判者であるか。

不平も、不満も、呪いも、怒りも、時は一切の訴えをとり上げない。後悔も役に立たず。祈禱にもこたえず、人間のこざかしいはからいを無視して、人間にとって不可抗力であるかの如く、一切を冷たくも裁いてゆく。時は果たして冷たき審判者であるか。

そう思った日もあった。しかし、時こそは温かき慈母の懐(ふところ)よ。あまりにも寛大にして、報ゆることの厚き、あまりにも温かくして、培い育むことの深き。我、時の流れの懐に帰る時、複雑に見えた人生も単純になり、暗く見えた人生も明るくなり、無意味に見えた苦悩にも意義が見出せ、恐ろしかったことも恐るるに足らぬことを知らしめ、我を人生本然の相につれ帰って、再び湧き出づる内部生命の願力に更生せしめる。

ああ、若人よ、何故にその小事に翻弄(ほんろう)せられて、時の意味を忘れるのか。

何故にその小事につまずいて、汝自身を失い、醜い感情に支配せられて、足元を忘れ精進を棄てるのか。

時の流れが一切の声を無視するが如く、何故に黙々として、一道を歩みきらざる。徒(いたずら)なる弁解は、自己内面の無信念と、無力の暴露のみ。汝の終始一貫の歩みのみ、世の常識的雑音を封じる。

時は念々刻々に移る。諸行無常を感ずる時、人ははじめて襟を正す。一日の日を尊ぶべし。一時間の時を尊ぶべし。時を粗末にすることは、即ち、汝自身を粗末にすることである。人を尊ぶとは、他人の時間を尊ぶこと。

我一人のために、如何に多くの人の時間を費やさしめることよ。

時の尊さを知らぬ者に、人生にたいする感謝あることなく、時の尊さを知らぬ者に、精進努力あることなし。

無益の雑談の半日は短く、有益なる勉強の二時間は長い。

汝の今日までの時は、その何割が真に有効に真剣に使われたか。

危篤に陥った時に使われるその注意と、闘病の志と、生きる真剣さと、費用と、憩いと、恐怖との十分の一でもが、かつての日の、ふしだら、不節制、不身持ちの時に使われていたら……後悔は遅きに過ぎたり。聖賢は必ずその体を養う。

醜状を天下に暴露して、無限の苦痛に胸を刺さるる時の心理の十分の一でもが、彼がかつて世に栄えた時予想せられていたなら……後悔は遅きに過ぎたり。

老いて流す後悔の涙が、父母の生きてましますᵃ若き日の、苦き忠言の前に、一滴でも流されていたなら……人生再び帰らず。

時は、不断に汝に警告す。これを無視する時、大火やがての日に汝を焼く。

如来は無量寿であり、無量光である。

智慧光汝に訪れて、汝を照破し、大悪に至らざるに、大悪を信知せしめ、大苦に至らざるに、大苦を知らしめ、無量寿来たって汝の命となり、汝をその慈悲の懐に摂取して、安住を得しむる。無常の巷にありつつ常住を生き、大愚大悪に落在して、如来の絶対善を回向せられる。生きて嬉しき時なる哉。光明に充つる時なる哉。

九　内省の彼方——病む弟と語った後に——

人間が他の動物と違うことの一つに内省があります。人間が動物の部類にいつつ、獣一般から遠ざかる唯一の道は内省にありと言ってもいいと思います。

獣から遠ざかって人間になりたい。

それは私どもの、衷心の願いでなくてはなりません。

人間とはここでは「人格」の異名であります。

人間が人間になること以外に人間に課せられた問題はありません。

『涅槃経』によれば、私どもに向かって、いとも親切に、唯一の味方の如く詐って、私を悪道に誘う者を貪欲だと言ってあります。まことに欲心こそは、怖るべき誘惑者であり、恐るべき敵であります。この恐るべき強敵に対して、我の支配権を与えることは、戦慄に値することであります。しかるに、一生をこの強敵に偽られて、その奴隷になって一生を過ぎ、悪道に赴くことは、悲しむべきことであります。生活はまずこの強敵の正体をつきとめることから始められねばなりません。

強い荒々しい馬に引きたてられて、馬に支配されるとすれば、それは恐るべきことでありますが、しかし、そのかわりに、そのたくましい荒馬を乗りこなして使役すれば、仕事が出来ます。欲の煩悩に使われる生活から、煩悩を使役する生活に転ずる。そこに、「解脱」への道があります。

しかして、内省こそはかかる解脱への唯一の道であります。

私どもの生活は二つの根源から生まれて来ます。二つとは、私どもの内面からと、外面からであります。

私の外から色々な声が私によびかけます。その声に応じて、私の行動をおこします。もちろん我々はこの声を無視するわけにはゆきません。他人の声、社会の声、国家の声、世界の声、それらは、すべて私どもの内面に食い入って、私の生活をよびおこします。これらの一切の声を無視しては、具体的な人生生活はないからであります。

しかし、ここに注意しなくてはならないことがあります。それは、内なる声、魂の叫び、衷心の願いと言うものを聞くと言うことであります。この内なる願いを無視して生きる生き方は、人間を堕落の底につれてゆきます。

「お前は何故にそんな悪いことをしたか」

「それは、それをやらないと殺すとおどされたからであります」

よくこうした人を見ます。この人は、衷心の声を聞いてやらないで、外からの声に盲従したのであります。世には、こうした自己を持たぬ生き方をしている人がはなはだたくさんあります。

人間は、誰も彼も見え坊であります。知らず識らずの間に、安価な賞讃を博したいために、心にもないことをやって、自己を偽ります。

七面鳥のように、向こう様次第で顔色を変え、飾って生きることは、人間の最もはなはだしい堕落であります。そこには真実の意味の生活はなくなっています。しかし、今一つの堕落があります。それは、心の動くままに何でもやってのける生き方であります。腹が立ったらやっつけろ、気に入らなければ喧嘩しろ、欲しかったら奪え、何の遠慮がいるか。そうした生き方は、わがまま勝手であり、利己主義であり、厚顔無恥の悪魔主義であります。

そこまで行かなくても、我々がしばしば後悔を感じなくてはならないことがあるのは、飽くことなき、貪欲のままに行動した場合であります。これもまた、決して衷心の願いを聞き、深い魂の声を聞いた生活ではありません。

第一が偽善者であれば、第二は悪魔であります。生活そのものが偽善的であり、悪魔的であるならば、それがどんなに学問しようと、富や位が与えられようと、やっぱり、それが拡大されるだけであって、それによって一切はますます汚く醜くなってゆきます。そしてその人もまた、本当の喜びや、満足や、平和を知らないで人生を去ってゆきます。

人間が一番、自分に近くなるのは、苦しみに打ちのめされた時であります。苦しみのない時の生き方は、とても閑のある生き方であります。しかしどんな種類にした所で、苦しみが押し寄せて来ると、考えざるを得なくなります。

特に周囲の一切の声が、自分をますます苦の泥濘（でいねい）につれこもうとする時、必死になって考えつづけます。内なる何ものかによって救われようとし始めるのであります。

更にそれが深刻なのは、いつまでも生きるつもりでいた者に、「死」が歩みよって来たという感じが起きてきた時であります。「死」は人間の一切を打ちくだいてしまう恐るべき力を持っています。「哲学が何か、科学が何か、芸術が何か、一切が何か。ああ。自分の今日までは、全く無意味であった。一切の考え方も、生き方も間違っていた！」と悲痛なる自己破産に直面しなくてはなりません。

この死の威力の前に立って、一切を打ちくだかれた、絶対無の自覚から、一歩ふみ出したところに、法身常住なる釈尊の世界があり、南無阿弥陀仏の親鸞聖人の天地があったのであります。

死の恐怖から後もどりせず、逃げず、ゴマ化さず、自暴自棄に陥らず、百尺竿頭（かんとう）一歩を進めた時、死地に活路が打開されて、そこに、金剛不壊（こんごうふえ）の大信海が回向せられるのであります。

死その他、深い苦しみが押し寄せると、必ず「人生は不可解」になって来ます。しかし「不可解」のままでは、とどまっていられません。不可解だと叫んでいる魂は、もっともっと深い本当のものをつかみたい、解決が得たいと願っています。その衷心の願いを聞くべきであります。それは深い深い内省の彼方にうなっている声であります。

喉が乾いた時には水しか引き受けず、餓えた時には食物より外には求めないが如く、掘り下げられた心の程度より以外には「教え」も受けつけません。

一切からつきとばされて死の帳の前にたたずむ時、一切から棄てられて、罪悪煩悩の泥濘の中に沈没しようとする時、そして、それより外、一切の行く道がない時、久遠劫来招喚したもう如来の声が聞こえて来ます。

如来は罪悪煩悩に向かって無碍光であり、生死無常に対して無量寿であります。

内省は、思惟であり、はからいであります、如来は人間の思惟の彼岸であります。しかし、内省思惟を通さないでは如来のみ胸には帰られません。しかし如来は人間の思惟の領域ではありません。不可解でなくて、不可称、不可説、不可思議であります。

如来を信ずれば、清浄な心になれるとは、誰でもが予想することであります。しかし事実は、その真反対であります。如来の智慧光によって照破される時、そこにあらわれる相は、「罪悪生死の凡夫」であり、八万四千の煩悩であり、群賊であり、悪魔であり、火の河であり、水の河であって、そこには一塵の善も、一毫の真実も見出せません。賢者は愚者に、善人は悪人へと転落します。しかもその窮極において、如来の本願は、人格のすべてに直入し、顕現して、人になりきります。悪人そのままに救われる体験がおきて来ます。

普通は、人格は、善になりきることによって成就すると考えられます。しかし、人格は自覚によってのみ成立します。ありのままの自己を凝視し、ありのままの自己を知るところにのみ人格はあります。したがって、愚への、悪への徹底こそ、人格成立の根本条件であります。

しかし、それは愚や悪が人格の成立の根本条件であると言うのではなくて、清浄真実なる如来の本願、やがて、金剛の大信心こそ、人格の本質だと言うのであります。愚に徹しなければ、賢愚を超えることが出来ず、悪に徹しなければ、善悪を超えることが出来ません。賢愚、善悪を超えなければ、如来の本願に乗托することは出来ません。

内省は必ずしも信仰ではありません。しかし信仰には必ず自覚内省をともないます。否、如来によらねば、自覚内省すら全きを得ることは出来ません。混乱に陥った自己を救う道は、教えを聞きつつ、深い内省へと沈潜するより外あり得ません。

外物を追うてのみゆく生活には真の満足はあり得ません。内に内にと求めてゆく時、そこに満足があり、平和があり、安らぎがあります。

現代の通弊(つうへい)は、一切を外に求めて行くことのみに疲れて、内への生活、内に人間を成就することを軽んじ、むしろそれを軽蔑しようとさえします。そうした傾向は、政治家にも、教育者にも、芸術にも、社会全般にもみなぎっております。

我等は、人間成就の世界をとりかえさなくてはなりません。

如来も浄土もすべては、人間成就の内面的な世界に必然の関係を持つ所にのみ、宗教があります。真実の宗教的本尊は、いつも自覚内省をよびおこし、自覚を通して、人格の本質に貫流して、大生命となります。

内省の言葉は古い。しかし、常に新しい意味と生活を、我等に与える永久に新しい言葉であります。

内省なき一日は空虚であり、内省なき一生は無意味であります。

第二章　我が慈父親鸞聖人

人間線上におりきった方は親鸞聖人である。
人間の心の中の悪の根強さを知りつくしたのも聖人であった。
人間性をちっともごまかさなかったのも聖人であった。
聖者顔も、善人顔も、賢者ぶりもないのは聖人であった。
だから私たちは聖人をお慕いする。

一　華園

花園

我等は不思議にも大地の上に人間として生まれて来ました。はっきりと我という意識をもって生まれて来たことは私にとっては、何よりも不可思議なことでありました。

成長するにしたがって、そこに様々なものを発見しました。青く澄んだ大空、美しい夕日、清い満月、四季折々に装いを変える山、いつでも花の咲いているなつかしい野辺、きれいな水をたたえた小川、そうしたものを発見した子供心には、人生は美しい花園でした。

しかし段々成長するにしたがって、そこには、家庭があり、学校があり、やがて社会がありました。そうしたものを知らねばならなかった時、人と人との間柄や、色々と起こって来る嫌な問題、簡単には考えられない社会の相がわかって来るにしたがって、人の世は美しい花園ではなくなっていました。

人は美しい月の夜に泣かねばならない。人は明るい太陽の光の中で悩まねばならない。私自身八歳くらいの時、死ぬるのが悲しいと言って両親を手こずらせたことがあります。両親は何を苦しんでいるのであろう。世の中の人たちは、何故に悩んでいるのであろう。そこに世の濁悪がみちみちている。人の子は嫌でも応でも、この暗い泥濘（でいねい）にひきずりこまれる。人生は決して美しい花園ではない。美しくも澄んでいた嬰子（みどりご）の瞳は、いつしか濁って来る。

人間の力

しかし成長するにしたがって、人間の力の偉大さに驚きます。人間の努力はついに天空をも駆けます。大地の底さえ道を通じます。大象をも使えば猛獣さえ馴らします。海に幾万トンの船を浮かべ、地に幾十階の高楼を建て、電気の利用、交通機関の整備、等々人間の努力はいかなるものをも成就するかに見えます。人間の力こそ驚くべきであります。

しかしそうした美しい文明の中で人間は、みな笑って生きてゆけたでありましょうか。人間はやはり満たされないで泣いているではないか。人は何故に泣き、何故に悩むのでありましょう。

希望

私どもは幼い時から、賢くなれ、立派な人になれ、と教えられて来ました。したがって偉人や英雄や成功者のお話を聞いて胸をおどらせました。若き日の魂は、ただこの憬れに奪われました。賢くなる、名高くなる、如何に名利心が若き日の希望となることであろう。

だが若き日の大臣大将も、やがての日には古ぼけた椅子に惨めな相を横たえています。哀れ荒波にもまれて敗惨の身は老いてゆく。人の世は決して美しい花園ではない。

別の世界

然れば人の世は終に永久に暗黒なのでありましょうか。しかし、それではじっとしていられない魂の声があります。

我等はここに全く別の世界のあることを知らされました。それは、親鸞聖人を通して仏の教えを聞かされたことでありました。聖人は決して栄華にも権勢にも享楽にも名利にも笑わなかった人でありました。その聖人がついに「慶哉」と叫ばれたのはどうしたことであろう。人の世の泣くべきは泣き、苦しむべきは苦しんだお方が、暗の世をそのままに、不滅の歓びを獲得せられたのは、何故であろう。釈尊もまた、人生のありのままの中で五欲に満たされず、悩みぬいたお方である。しかも最後には大歓喜に入られたではないか。私たちの心は、わけもなくこれにひきつけられます。その私たちに「これだ」と言って授けられたのが『大無量寿経』でありました。

真の人

私たちは、こうした第三の世界をのぞいてはじめて、過去にこの悩みを抱いて血みどろの精進をつづけた多くの尊い人を発見しました。名誉か富か、地位か権勢かと憬れた日には問題にもしなかった人々の間にこそ、真の人間、偉人聖賢のあることを知りました。そしてこの世の表に立たないそれらの人々こそ、世の表に躍(おど)った人々よりも、もっと深く世を動かしていることを知りました。

悪魔は内に

我々はこの人々によって、五欲の満足や、常識で考えていたことのまことに哀れにつまらなかったことを知りました。のみならず、我等の慧命(えみょう)は、念々刻々に、我と我が持つ貪欲瞋恚(とんよくしんに)、愚痴等のために滅ぼされていることがわかりました。我を暗くし、悩まし、滅ぼす悪魔は全く心内に満ちていたのでありました。それが見えはじめた時、私のうちには、消せども消えぬ魂の声が、私を懸命においたてています。

華園

『大無量寿経』の教えが身にせまって来ます。いつしかに世の中の見方や、我の正体や、その他すべてに対する考え方の大まちがいがわかり、長い闇路を輪廻していたことが知らされる時、はじめて一切衆生の親にてまします「尽十方無碍光如来」の智慧光、大慈悲の世界がわかって来ました。

光の国の扉は開かれた。真の力の源泉は示された。南無阿弥陀仏こそ実に暗を照らす唯一の光であり、一切を生かす絶対の力でありました。無量寿のいのち、尽十方無碍の光、今まで泣いた五濁悪世は、そのまま光の来たりたもう園であった。

親鸞聖人！　そはまことに我等の慈父にてまします。如来化身の師父にてまします。その教化の前にひれ伏して、如来のみ名を呼ぶ時、仰ぎ見ればこは如何に、生死の園、煩悩の林には、あまりにも多くの人格の華が咲いているではないか。

空には無数の星辰(せいしん)輝き、大地には偉(おお)いなる人格の華が咲く。

永遠に勝ちつづけて咲きにおえる大聖、菩薩大士、念仏の人、再び無条件に人生を華園であると絶叫することが出来る。

見よ、これらの華は、暗が深ければ深いだけ、いよいよ明瞭(はっきり)と輝いているではないか。

忍力

『大無量寿経』に法蔵菩薩の永劫の修行を説いて曰く、

「不可思議兆載永劫に於て菩薩の無量の徳行を積植し　欲覚・瞋覚・害覚を生ぜず　欲想・瞋想・害想を起さず　色・声・香・味・触・法に著せず　忍力成就して衆苦を計せず」（島地一―二四、西二六、東二七）

と。

衆生は欲心と瞋恚と害心より外持たないものである。この三心の為に疲れ苦しみつつ三悪道を出現しつつ輪廻するのである。この衆生の濁悪の炎の中に、永久に忍力成就して、衆の苦しみを苦しみとせず、無量の徳行を積みたもうの力が如来の本願でありました。如来はまことに「願力」にてまします。一切衆生を生かしたもう金剛不壊の力にてまします。

浄華の園

見よ。大地の上に咲いた人格の華、念仏の希有華の上には、皆ことごとく同一なる願力が躍っているではないか。されば如来を「平等力」といいます。一切衆生の差別はそのままに、平等に生かしたもうが故であります。

「安楽仏土の依正は　法蔵願力のなせるなり
　天上天下にたぐひなし　大心力を帰命せよ」（島地一一―一五、西五六一、東四八一）

如来は、天上天下にたぐいなき大心力であります。浄土も仏も菩薩も全ては、この大心力によって成就荘厳せられます。

光の世界を成就するたった一つの力、一切衆生を生かしきるたった一つの力、その光明の願力は南無阿弥陀仏として、生死の薗、煩悩の林に回入して、自然に法爾に多くの浄土の菩薩の華を生ぜしめる。

如来によってのみ、人生はそのありのままが、美しき華園に転じます。如何に荒れ狂う日も、暗深き日も、大地は遂に美しき浄華の園であった。論に曰く、

「如来浄華の衆は、正覚の華より化生す」（島地八―一三、西三〇、東一三六）と。

二　慈父

祖聖をおもう

桜の花ハラハラと散る日、特に私は祖聖親鸞を憶（おも）う。

それは真に聖人が御年九歳（くさい）にして、粟田口なる青蓮院に出家得度せられたる時節だからである。最も華やかなるべき時にこそ、覚めたるものは真実に無常を感ずるであろう。

実に聖人の出家こそ、久遠なる親を求めて出発せられたのである。

痛ましき我等の現実を厭うて、帰命すべき親を求めて出かける心は、永劫（ようごう）に大自然の故郷をはなれたる流転輪廻の子が、漸く現実の苦に目覚めて、その本国に帰ろうとの微かなる願いに動かされているのである。

澎湃（ほうはい）たる現代の思想は、あらゆる方法によって神々の死を宣言し、あらゆる偶像をその聖壇から打ち倒して、人間の世界の勝利を歌わんとする。これはある意味から言えばいいことでもある。現代人はその論理に於て祈りを捧ぐべき神々を失ったのである。にもかかわらず、一切群生は限りなき迷妄の淵に沈んで、勝手なる神を迷信し、新たなる邪神を建立して、その功利的な願いを満たそうとする。功利的祈禱の邪教が如何に一切衆生を迷妄の暗にさそうことよ。我等は単にこの大衆の流れを冷笑し、看過し、又は破壊することが出来るであろうか。

まことに現代に於ては、その賢き人たちは拝むべき真実なる神を失い、愚かなる者は限りなき邪神の魔手に亡びようとする。

慈父

現代は実に、唯一の真実なるものを求め、帰命すべき真実を失ったのだ。真実なる生活を失ったのである。こうした時代相を観る時、我等は限りなく祖聖を憶うのである。

「釈迦・弥陀は慈悲の父母（ぶも）
種々に善巧方便し
われらが無上の信心を
発起（ほっき）せしめたまひけり」（島地一一一二九、西五九一、東四九六）

げに祖聖は遠く二千年をへだてたる釈尊の上に「慈父」を感得せられたのであった。ああ、大聖釈尊は実に祖聖にとっての「慈父」であったのだ。真実の父を発見すること、それは真実の信に於て同一の生命の流れを感得し、遠劫にも切ることの出来ない一河の流れに於て、彼と我とを発見することである。

我等は今、祖聖が釈尊を「慈父」と拝したまいしが如く、親鸞聖人を「慈父」として忘れ得ないのである。

私は不幸にして、幾多の先輩、善知識に会いながら、その求道の大転機にあたって親しく私の手をとりて、我を叱咤し、我を教導し、我を愛撫してくれる真実の全的善知識を持たなかったことを寂しく思い、悲しく憶う。しかしそれだけ私は、七百年の時代の隔りを持つにかかわらず、祖聖を真実の父と感ずることが強いのである。おお慈父！　私はまことにあなたの子であることを嬉しく思う。

「慈父」なるが故に常に我が側に立ちたもう。

慈父なるが故に常に我が側に立ちたもう。我が至る所、何処にもあなたを見出し、悲しき時、寂しき時、嬉しき時、順逆如何なる時にも、慈父なる祖聖と一体なるを喜ぶものである。

聖誕

祖聖にとって釈尊が、大信海より応現せる大善知識、慈父であったように、慈父としての祖聖は又、涅槃の都より還相の大用に動かされて、大願業力によって大信海より、我が前に君臨せられた如来応化身（おうけしん）にてましします。あなたは如来によって遣（つか）わされたる教主大善知識、即ち「久遠の慈父」である。

五月二十一日は祖聖降誕の聖日である。安芸の国においては特に「御誕生日」として祝福すべき日とされている。四月八日が仏教徒にとっての記念日であるように、五月二十一日は慈父が大地に肉身を受けたまいし記念すべき聖日である。「天上天下唯我独尊」の大聖を生みし日も尊いが、大地の愚禿を生みし日はまた、我にとっては大聖の降誕と共に忘れることの出来ない聖日である。

五月二十一日、それは実に慈父の生まれたまいしよき日である。

愚禿なる慈父

あなたは、限りなく如来の本願に乗托して、真実の浄土に往相せられたる久遠の凡夫、愚禿の自覚にたちたもうた。徹頭徹尾、愚禿にてあらせられた。陰惨なる北越の雪の中に流罪にあいたまい、「たとひ法然上人にすかされまゐらせて念仏して地獄に堕ちたりともさらに後悔すべからず候」（島地二三―二、西八三一、東六二七）とまで生死一体を信知したまいし師父に別れ、寂しき曠野にたちたまいて、今更に真実の自己に覚（さ）め、現実の暗に大悲還来せる法然菩薩の本願を感じたまいしあなたは、ここに愚禿の自覚に到達せられたのである。

我等の慈父はまことに「愚禿」にてましました。自力小我のはからいに絶望して「いづれの行も及び難き身なればとても地獄は一定すみかぞかし」（島地二三―二、西八三三、東六二七）と自己破産を宣言し、愚禿の名によって、真実の浄土への聖扉を開かれたのであった。
金剛不壊の大信心海は、唯この愚禿の自覚によりてのみ開かれたのであった。

「金剛堅固の信心の　さだまる時をまちえてぞ
　弥陀の心光照護して　ながく生死をへだてける」（島地一一―一九、西五九一、東四九六）

開かれたる聖扉、現前に転廻せる願力の白道、それを悠々と浄土に愚禿の名によって往相せられたのが慈父であった。

還相の慈父

しかし聖人は単なる往相の人であったであろうか。我は今、念仏の裏に聖人に会えば、聖人はすでに久遠の慈父にてましますことを言った。我が孤独なる人生の歩みの側に立ちたもうて常に我と共に念仏し発遣したもう慈父は往相の人ではなく、還相の菩薩である。まことに『大経』の法蔵菩薩の聖容をば、大地に合掌せる愚禿の上に発見し、大涅槃より還相して私等が胸に閉ざされたる自力小我の迷妄の鉄扉を開き、本願弘誓の大船に乗托せしめたもう唯一なる大聖にてましします。

単なる往相の聖者はある。光まばゆき聖者はある。されど我等が沈める無限の生死界にわけ入って水火二河の間に来たり、奈落火炎のただ中に愚禿と名告って大悲同感しつつ我を救い、我を教え、我を導きたもうものはただ聖人である。

罪悪生死の巷に立って、何等の光を持たずして限りなく久遠業苦に悲泣する者、それは我等の世界に充ちている。何等の自覚なく、ただ善人なりと自惚れ、賢者なりと自認し、学者なりと主張する虚仮(こけ)賢善の人は我等の世界に充ちている。しかしかかる人間群がどうして我等の前に慈父たり得よう。

聖人は限りなき無明海の底に愚禿を発見したもうた。しかも生死海底に人間親鸞を発見し、愚禿を名告り、自ら肉食妻帯を断行して、凡夫さながらの生活をなしたもうといえども、その背後には真如界より還相せる法蔵菩薩の聖容を示し、さながら大願業力によって、我等の前に、久遠の如来の穢国に化したもうを、感得せしめたもうのである。

我等は、自覚内観の世界において、どこまでも罪悪生死の凡夫にすぎない。しかも慈父は如何なる深き生死海底に於ても、常に我等が側に立ちたもうと共に、我等が迷妄の暗き闇にとざされたる日にも、来たってこの現実にささやき教えて、いつしか白道の上にあるよろこびを与えたもうのである。まことに久遠の慈父を通してのみ、我は彼岸の招喚の現実の上に生き得るのである。

三　往相回向の生活

創造とよろこび

仏教で諸行無常ということをやかましく説くのは、一切のもの皆がとどまることを許されないで不断に変わってゆくということでありますが、それは一面、一切が変化発展するということでもあります。天地は常に積極的に天地そのものを荘厳（しょうごん）し、創造し、発展してとどまるところを知りません。花の紅なる、柳の緑なる、全ては、その内部生命の必然の動きに動かされて生々潑剌として、輝かしい相に四季折々の情景を織りなし、綴り出してゆくのであります。もし天地がこの変化発展を忘れてとどまったとしたなら、一切は死の状態におかれるだろうと思われます。

天地はすでに創造発展の一路をたどっています。人間に創造発展がなくていいでありましょうか。人生の真の喜びは、かかって創造にあるといってもいいと思われます。私は子供の時、田舎で大きくなりましたが、お庭を造ることが何より好きでした。毎日一里ほどのお隣の村の小学校に通う道すがら、心安い小父さんの家によっては、小さい植木や、草花をもらって来ては、自分の思うように植えて楽しんだものです。岩松はここ、盃葉椿はここ、万年青(おもと)はあちらと、毎日岩を動かし、木や草を植え替えて母に笑われたものです。それをはじめると日が暮れそうでもやめられない。二坪三坪の土地が夜になっても忘れられない。作物などの太ってゆくのを見て、お百姓の人はこれと同じ喜びを感ぜられることだと思います。

又田舎にいた頃、よく大人が蕎麦会(そばかい)をやっていたのを思い出します。三、四軒が寄って蕎麦を挽(ひ)きます。そして女がそれを打ちます。雑魚(ざこ)のだしではありますが、たくさん集まって、おもしろく頂きます。蕎麦を食べることよりも、それを作って頂く所に喜びがあるのであります。それが町では、電話をかけて注文する。十分すれば持って来る。実に美味しくはあっても田舎でのような味はない。まして思い出などになろうはずがない。私どもの子供の時、何でも腹は蕎麦でいっぱいになった。皆で一つ運動して来て食べるのだと、歩きまわったりして笑いこけたことを忘れていません。それはなぜか。都会の蕎麦にはこうした創造がちっともないのに対して、田舎の蕎麦には、皆で二日がかりで作った喜びがあるからであります。

これは一例でありますが、人生全て創造でなくてはなりません。創造の生活にだけよろこびがあるからであります。そこでこれから人生と切り離すことの出来ない創造の生活について考えてゆきたいと存じます。

人生の創造原理としての大行

そこで初めに少し、むずかしいことを申すようでありますが、一体親鸞聖人は、如来による一番正しい生活のことを「往相回向の生活」だと言われました。往相回向の生活ということは、彼岸浄土への生活のことであり、成仏への生活のことでありますが、いったい浄土に至るということは、ただ単に時間の経過、又は、地理的里数の移動ということを意味しないのであります。唯、時間的経過又は地理的移動でありますならば、その中には、価値としての向上も、発展も意味されていません。親鸞聖人の領解をもってすれば、真実に如来に全的に生きた今日の生活を「正定聚」と言われ、この因よりあらわれる未来の果を「滅度」と言われますが、この涅槃の徳が全顕して成仏する「滅度」と「正定聚」との間には、必至滅度とて「必ず」という必然的関係がある。単に可能であるというのでなく、必然であるとせられました。即ち「無上浄信の暁にいたれば」と、信の一念、正定聚に住することを暁と言われましたが、これより推(お)せば、法性のさとりを開いて、涅槃の真身を顕す時をば昼とせられるべきであります。暁から昼へは必然であります。一粒の種が芽を切って、やがて成長して花を咲かせることは、必然であります。因の内奥から、果は必ず生まれ出ずるのであります。その時、果はすでに因の中に滞在し、内在していたことがわかります。兎に角、こうした必然的に正定聚から滅度に至る生活を、往相回向の生活と言われたのであります。

然れば、人生のこの文化的、道義必然の往相生活は、何によって可能であるかと言いますと、聖人によれば、

「謹んで往相の回向を按ずるに　大行有り　大信有り」（島地一二一―六、西一四一、東一五七）

と宣言せられました。即ちかかる往相生活には大行大信がある。而してその大行、大信とは、何であるかが問題でありますが、それ以前に、聖人は「真実教」を顕示しておられます。即ち『大無量寿経』をもって人類の唯一の真実教としておられます。この真実教は、如来の本願を説いて経の宗致とし、仏の名号を経の体とする。『大無量寿経』の生命は如来の本願であり、その体は如来の名号であります。そこで、この名号と本願が我等の往相生活について如何なる関係を有するか。

「謹んで往相の回向を按ずるに　大行有り　大信有り」

と言われた、その大行大信と、先の『大無量寿経』の名号本願との関係でありますが、これを端的に表さば、

大行とは……名号、南無阿弥陀仏のこと

大信とは……本願の顕現した相

のことであります。即ち真実教によって、(1)我等は何を信ずべきか、(2)如何に信ずべきかの問

題に答えを得られたのであります、何を信ずべきかの問いに対しては行巻に「大行」を、如何に信ずるかの問いに対しては信巻に如来の本願のままの「大信」を説かれたのであります。ですから、大信は如来の本願の顕現であり、その本願の信は、大行即ち南無阿弥陀仏そのものを信ずるのであるから、大行も大信も、衆生の相対差別の心から生まれたものではなくて、如来心そのままの回向成就する所の他力であります。それ故に、特に「往相回向」と回向の文字を使われました。回向とは、如来それ自身の顕現であることの表明であります。

そこでその「大行」とは何であるかでありますが、これについて聖人は、

「斯の行は、即ち是れ　諸の善法を摂し、諸の徳本を具せり、極速円満す、真如一実の功徳宝海なり　故に大行と名く」（島地一二―六、西一四一、東一五七）

と言っておられます。一一お講義することを省きますが、一粒の種子が一切のものを内具しているように、あらゆる善法、徳本を具摂して、極速円満、欠けることなくて成就された真如そのままの絶対価値、即ち「真如一実の功徳宝海」だと言われたのであります。

即ち名号とは、道義的、文化的絶対価値の表象であります。生ける如来そのものであります。この絶対価値たる如来そのものをぬきにしては、往相生活はないのであります。大行とは南無阿弥陀仏それ自身であって、如来仏果正覚の全体であります。この仏果の全体が、衆生の煩悩中に一念獲得（ぎゃくとく）された時、衆生は、正定聚の菩薩、即ち因位の相、即ち限りなき未来を有する

創造不退の往相回向の人となります。如来の大行の果なくしてどうして因位創造不退の菩薩道がありましょう。この菩薩道こそは如来の大用によっておこる光明摂取の妙用（みょうゆう）であります。

仏を、体と相と用との三方面から考えることが出来ますが、『華厳経』によれば、仏の体を大方広と言い、用を華厳と言います。大方広というのは、普遍、広大、永遠、常住なる法身のことであります。一切の仏、菩薩は全てが、この普遍（何時でも何処でも、何の上にも実在するもの）広大なる法性真如より生まれないものはありません。仏はこの法性法身を体として正覚し、更に仏自体の妙用として、大菩薩道を展開します。その大菩薩道のことを華厳というのであります。

華厳ということを古来「因の万行の華をもって、果の万徳を荘厳する」と解釈されてあります。

因の万行の華をもって……華
果の万徳を荘厳する……厳

ここに朝顔の種子があります。これは、長い間作られた朝顔の果であります。その種子に色々の尊い徳をもっていますが、その果は果のままでは決して尊いことはありません。これを大地にまいた時、芽を切り、葉を出し、蔓（つる）を延ばし、やがて花をつけます。花が咲いた時、種子はじめて果の徳を現わしたのであります。その芽、葉、茎、花などは、果より生まれた因の相であります。その因の万行の花が、果の持っている万徳を美しく荘厳するのであります。そこで「因の万行の華をもって果の万徳を荘厳する」ということがのみこめたと思います。因位の相があらわれてのみ、仏の果の徳は荘厳されるのであります。果位を仏というに対して、因位を菩薩というのであります。この因位の華である菩薩こそ、仏の浄土を荘厳するものであり、その菩薩こそは仏の生命に生き、血をつぐ眷族であります。而して、かかる菩薩は仏果からのみ生まれて来るのであります。ですから天親(てんじん)菩薩は、

「如来浄華衆　（如来浄華の衆は

　正覚華化生」　正覚の華より化生す）　（島地八—一三、西三〇、東一三八）

と讃嘆せられました。如来の正覚より生まれた菩薩たちは、限りなく如来を憶念して、菩薩たることが出来るのであります。

南無阿弥陀仏は如来正覚の全体であり、この南無阿弥陀仏の果より生まれた者が、往相回向する正定聚の菩薩であります。この正定聚の菩薩は、無限の末来にむかって、因位の相のままで、限りなく如来にむかって生きます。この如来にむかって生きる相こそ、往生浄土とか、願生浄土とか往相回向とか言われるのであります。荘厳浄土の菩薩、即ち、真実の創造生活に生きた人であります。

唯、南無阿弥陀仏の大行によってのみ、この往相の生活、荘厳浄土の生活はあり得る。故に、大行こそは、真人生の創造原理だというのであります。

四　もとの相に還る道

私どもが生まれて来る時には、何も持たずに生まれて来た。華族の若様でもなかったし、財産家のお嬢様でもなかった。善人でもなければ悪人でもなく、ましてや肩書などつけられて生まれて来たのではなかった。ただ「オギァ」の産声と共に平等に一個の人間が誕生した。

しかるにだんだん大きくなるにつれて、ある者は「お坊ちゃま」と呼ばれ、ある者は「この餓鬼」と呼ばれはじめる。小学校に行きはじめると甲乙がつけられ、優等児と劣等生とが出来、表彰された子は小さい羽が生えて飛び上がり、劣等児と呼ばれた子は、卑下の下げ舵をとって下へ下へと沈んでゆく。だから誰も彼もただ優勝へ優勝へと血眼になる。「総体(そうたい)人には劣るまじきと思ふ心あり、此の心にて世間には物を為(し)習ふなり」（蓮師）（島地三〇—一二三、西一二八二、東八八三）。親の持つ地位や富などの有無が関係して、これから羽を伸ばして大鳥のように飛ぶ者もいれば、ミミズのように土の底に埋もれてゆく人も出来る。そうして汝自身を忘れてしまう。

人の上に人もおらなければ、人の下に人もおらない。差別のままに平等を宣告されたのが釈尊であったが、人はただ、何時しかに、浮かれ浮かれて、奥様と呼ばれるが故に奥様と上り、下女と呼ばれるが故に下女だと卑下し、しょせん、高慢と卑下との間を時計の振り子のように動いてゆく。苦悩の他郷に流転する者の相がそこにある。だが出でた者は還らねばならない。失ったものはとりかえされねばならない。卑下するものは自尊により、高慢なるものは懺悔によって、汝は汝に還らねばならない。

我が祖聖親鸞は、学べば学ぶだけ、修めれば修めるだけ、それを羽にして飛ぶかわりに、もとの相に還って、遂に「愚禿」をもって姓とせられた。そして、九十歳の最後の日まで、この愚禿の相を一貫せられた。聖人には大僧正の官位がなかった。和上の学位がなかった、紫衣金襴の衣と堂班がなかった。文学博士の称号も、天に聳える殿堂伽藍もなかった。ただ貧困と流浪と愚禿と南無阿弥陀仏とがあった。

内と外、人間には二つの方向がある。内がどれだけ貧弱な自己だろうと、外へはいくらでも飾れる。否むしろ内が貧しければ貧しいだけ、外へ外へとくっつけてゆくのではあるまいか。

豊(ゆた)らかな生命、ただそれだけが自己自らに満足を与える。たとえ世の人が挙(こぞ)って讃めようと、心の奥の声ほど権威をもつものはない。もし心の奥底の声よりも、外からの声の方が重くひびきはじめたら、それは羽を出して自分自身からぬけ出して迷いはじめた時である。外の声だけで動く者は必ず迷いの路をゆく。強いようでも弱者であり、賢いようでも愚かである。


汝、汝に還(かえ)れ。

汝、汝に還る時、汝、汝を超越せん。


我等は教育者であるより先に人間であった。

司法官、軍人、政治家、奥様、博士、小使い、等々である先に人間であった。

人間が人間に還る道、それが釈尊の仏教であった。

人間が歩かないで高等官が歩き、人間が生きないで小使いが生きる。

人間が笑わないで肩書が笑い、人間が泣かないで肩書が泣く。

これ人間の堕落である。これ以上の堕落はあり得ない。

浄土の教えにおいて救われたとは、常恒普遍の如来が来たって我となりたもうことの自覚を言うのである。誠に浄土の真実教によれば、如来は衆生に還相摂化して、如来衆生に化したもうのである。衆生を廃悪修善によって仏に高めるのでなくして、仏が衆生になることによって衆生が救われるのである。

衆生になりきりたもう如来は、衆生にあっては、大慈悲、智慧光にてまします。

その光明は衆生心を照破して、十悪五逆を自覚せしめるのである。

菩薩とは――浄土教にあっては還相の如来に生きる正定聚の人のことである。如来は浄土を生死界に還相し、無限に生死界にわけ入って菩薩となる。如来が菩薩となるとは、如来が生死界に還相することであり、衆生になることである。如来は菩薩になることによってのみ衆生となるのである。

生死界に生きる菩薩、これ如来に即して言わば、如来還相の相であり、衆生より言わば、如来によって回向成就されたる正定聚、往相の菩薩である。

如来は智慧光によって衆生を照破したもう。衆生内観の世界がそこに開ける。

十悪五逆の諦観はただ如来によって生きる菩薩大士のみ可能である。

祖聖の大悟、諦観を聞く。

「蛇蝎奸詐(じゃかつかんさ)のこころにて　自力修善はかなふまじ

如来の回向をたのまでは　無慚無愧(むざんむぎ)にてはてぞせん」

（島地一一―四〇、西六一六、東五〇九）

慚愧とは正定聚不退の人格の王座にかえる唯一の道である。而して、その道はただ如来の回向によりてのみ開ける。「蛇だ、蝎(さそり)だ、奸詐だ」との自覚は慚愧の内容であり、如来の光によって照破された衆生の相である。「自力修善はかなうまじ」、自力無効の機の深信(じんしん)が、如来の大願業力を静かに全領するのである。

求めて聞けば聞くだけ、愚を知り、修めれば修めるだけ、悪を知る。智慧光の前に横たわるものは久遠の業障(ごうしょう)であり、十悪五逆、曾無(ぞうむ)一善の煩悩である。

生えた羽がおちてゆき、上った世界から下りてゆく。

全霊、如来に生きれば生きるだけ、悪へ愚へと、もとの相にかえってゆく。

もとの相にかえるとは、汝が汝に還ってゆくことである。

私はしばしば経典に出て来る「荷負群生(かふぐんじょう)」の文字を忘れることが出来ない。仏が菩薩になりたもう心である。「一切衆生を荷負する」とは、一切衆生の苦悩を背負いきることである。一切衆生を背負いきるとは、一切衆生の苦悩を自己の責任と感じたもう心である。それはやがて一切衆生を我において見、一切衆生の中に我を見出す心である。

聖人においては、大地の涯（はて）の最後の一人の悪逆の相までが愚禿の内容であった。

この天地においてのみ、生きることの中心が自己の上に還される。釈尊の天上天下唯我独尊の宣言や、「三界唯一心」の諦観は、我が生きることの中心点、重点が、我の上におかれたことである。家庭、社会、国家、全人類、全宇宙、等が、我を中核として成立する。全宇宙が我に、全人類、社会が我に、ただ我一心によって統一される。そこには、運命とか、吉凶禍福の卜占とか、方位とか、安価な現世祈禱とか、そうした責任転換などの入る些（いささか）のすきも持たない。

如何に苦杯を持たされようと、阿鼻叫喚（あびきょうかん）の真っただ中に立たされようと、逃げるべき世界もなければ、譲るべき人もない。ただ一切を荷負（にな）って起（た）つことが生きる唯一の道である。汝が汝に還った相であり、もとの相にかえったのである。そうしてかかる信境のどん底に、その現前脚下に横たわるものは、金剛不壊の大信心海である。

その時彼はただ、久遠の業障を凝視し、深信して、寸毫（すんごう）の善をもたず、賢におらず、下品下（げぼんげ）

生の極地に真裸である。

不思議なる哉、真実の力は油然としてそこに湧き、一切の不安を克服し、絶対自然の内奥から流れ出る歓喜は微かにも感ぜられ、「道を尋ねて直ちに進」まざるを得ない至心精進求道の大道のみがそこにある。


もとの相を忘れて、肩書の甲冑に身をかためたもの、虚栄と強情との虜になった人、そうした人は心からとけ合った友を持たない。人間が堕落の底に陥ると、「僕がこの身分になってからというものは、人が僕を遠慮して来ないようになった。いわゆる敷居が高いというのかね、だが僕は淋しいとは思わない」。

自分の築く城壁に閉じこもって人が遠ざかることをむしろ誇りとする。その時、高等官が歩き、重役が歩き、大家が歩き、思想家が歩き、権力が歩いて、人間がいなくなっている。

宗教家、宗教人、それがもし合掌して聞くことを失った日、宗教の本質は亡んだのだ。

自ら三宝の前に合掌する時、その人は僧侶や布教家であるより先に、人になったのである。もとの相に還ったのである。原始の相に還ることによってだけ、真に宗教家たることを許されるのである。合掌求道がなくなった時、布施は搾取と変わり、説教は安価な芸術となり、肩書は武装となり、施設は策略となる。

三原山の御神火に飛び込み自殺をすることが流行の一つになった。社会問題として幾多考うべきことが与えられた。それについて連想することは、世のほとんど全てが宗教とは一種の「三原山イズム」だと思っている。人生苦悩の逃避場と考えている。だがそれは根本からの間違いである。「三原山イズム」を克服して、人生から逃げようとする生活態度から、人生に還る態度に転ずることこそ、真実の宗教である。

岩壁に寄せてはかえす波の如くに、様々な苦悩の波が、その人その人に押し寄せる。波と我とが二つになる時、波は我を殺す敵となる。波と我と一体一如に還る時、そこに安心がある。

彼はその時、美しき文化が、道が、彼を通して成就されてゆくことを知るであろう。

あらゆる苦悩を通して、その人でなければ成就されない、体験されない相があり、使命がある。右に行こうか、左に行こうかと、迷う日もあろう。だが腹が定まって一切が生きる。

我等は飢えることは百パーセント嫌いである。それが嫌いのままに、使命のためには飢えても行こう。

もとの相に還る日に一切の矛盾は矛盾のままに統一される。そうだ、如何なる時にも処にも、必ず生きる道は開ける。もとの相にかえって、我、我を超越する日に。

五　聖人の歩みたまいし道

人間には二つの傾向があります。真理に対する態度であります。人間になくてはならなかった真理が、社会の中に形を造りますと、何時の程にか苔がつき垢がつきます。するとその苔や垢が真実なるものに取って代わって、やがてその苔や垢が尊重される。その苔や垢を因襲と言いますが、やがてはその因襲が無反省に社会的正義として横行します。そしてそれは大きな力として民衆にのぞみます。民衆はその力を、強大なる力なるが故に尊いと誤ります。そこでいよいよその力の前に拝跪(はいき)しようとします。宗教の世界でもまたこの事実を如何ともすることが出来ません。

けれどももう一つ違った世界があります。それは、因襲よりも真実の真実は何であるのか、真理は何であるのか、一切の苔や垢を超えて、もっともっと深く求めて、ただ真実を聞き、真実を求め、真実を生き、真実を伝えようとする人の世界であります。言いかえると、常識的大衆に先立って、より真実の世界を目がけて生きてゆく人の世界であります。

第一の世界を生きてゆく人は、その時代の賞讃と地位と栄達と幸福とが約束されます。
第二の人には、迫害と非難と苦難と貧困とが用意されてあります。

釈尊や、親鸞聖人や、法然上人や、その他の多くの聖賢の方々はそのいずれに生きておられたのでありましょうか。

私は静かに念仏の中にこれらの大聖の御生涯を憶念して涙なきを得ません。わけても我等が大善知識、親鸞聖人の御一生を憶う度毎(たびごと)に、厳粛な心にならざるを得ません。

その頃の叡山には苔がついていました。俗衆はその苔をこそ大事にします。仏に生きるのでなくて、仏を弄(もてあそ)び、仏の名によって人間の栄達を考え、名利を得、更に権力によって社会を威圧する。そこに用意されてあるものは、官位階品と美しい紫衣金襴の装いでありました。この社会的に是認された因襲の城に立てこもって、学問の競争によって、天台座主の栄えに至りたい凡心、又それを善いことだと思う常識。だが、聖人はこの山を下りて、美しい因襲の塔よりも、真実の輝く吉水の禅房に走られました。

天暦十年六月、村上天皇の御召しによって、僅か十五歳の若法師、源信和尚は、法華八講師の一人に加えられ、『称讃浄土経』を御進講申し上げ、御褒美の御衣を賜り、有頂天になって大和の母君、安養院様のみ許に、その御衣を送られた時、母君よりきびしい教戒の手紙を受け取られました。源信和尚の母上は、すぐれた智慧を持った真実の教育をした人であります。曰く、

「山へ登らせ給いてより後は、明けても暮れても床しさは心を砕きつれども、貴き道の人となし奉る嬉しやと思いしに、内裏の交わりをし、官位進み、紫甲青甲に衣の色を加え、君にむかい奉り、御経講読し、御布施のものをとり給い候ほどの名聞利養の聖となりそこね給う口惜しさよ。ただ命を限りに、樹下石上の住居、木食に身をやつしては、木をこり落葉を拾い、偏に後世たすからんとし給えとて、捹えしに、再び栄えて王宮の交わりをし、官位階品さまざまの袈裟衣に出世をかざり、名聞のために御説法し、利養のための御布施、更に出離の御動作にあらず、ただ輪廻の御身となり給うぞや……」。

読んでゆくと「口惜しさよ」とか「輪廻の御身となり給うぞや」とか、悲歎のきびしい文字が列べられてあります。よい母を持たれたものであります。この母の教戒から、名利を超越した、不朽の聖座に輝く、横川（よかわ）の聖者が生まれたのでありました。

これ母の智慧そのままの慈悲が源信の一生を第一の世界から第二の世界に大転回させたのであります。天台座主を見ざるかわりに、横川の谷にかくれて、念仏に生きられたのであります。

愚禿――それは聖人の姓であった。新たに北越の配所に愚禿と名告った聖人は、その内容を

顕して、非僧非俗と申されました。

非僧――僧とは聖者である。能う限りの努力によって、自己を根本的に改造して、自己を絶対人格にまで高めようとする聖者の世界が僧である。廃悪修善の行の宗教、断惑証理の智の宗教、共にその趣く所は、愚禿の体感より外の何ものをも得ることが許されなかった。非僧とは二十年の内面的生活を通しての生きた体験的事実であった。一切衆生の内的運動、久遠の業障が、聖人の自覚の内容となって、聖人を聖者権化の世界からひき下ろして、大地にかえらしめたのであります。

非俗――けれども、聖人は決して俗ではなかった。俗とは、その生活の本尊が、金であり、権力であり、名利であり、栄達であり、享楽である所の、何等の智慧も光っていない、盲目的な俗衆のことである。聖人は、かかる俗の天地より出でられたのである。その内観の世界において「悲しき哉、愚禿鸞　愛欲の広海に沈没し　名利の大山に迷惑して定聚の数に入ることを喜ばず」（島地一二―九三、西二六六、東二五一）との悲嘆があったが故に、聖人は、愛欲を超え、名利を越えて、南無阿弥陀仏に生きられたのであります。

聖人の本尊は如来であった。ただ南無阿弥陀仏あっての聖人であった。金が本尊であれば、拝金宗であり、名利が本尊であれば、名利餓鬼である。拝金のために、名利のために、安逸のために、神や仏を祈願の対象にするに至っては、外道の世界に堕在せるものであります。「万の事みなもてそらごと・たわごと・真実（まこと）あること無きに、ただ念仏のみぞまこと」であった。

俗におって俗におらず、聖におって聖におらぬ、聖人の信境こそは、智慧なるが故に生死におって生死におらず、慈悲なるが故に涅槃におって涅槃におらぬ菩薩の大寂定の風格ではありますまいか。

世にもし真実の英雄を求めるならば、真理に忠実に生ききった聖者でなければなりません。叡山を後にして因襲を超え、権勢よりも、名利よりも、栄達よりも、本質的に救われてゆく道を求められた聖人の前には、決して人間の幸福は待っていなかった。吉水教団に対する弾圧、流罪、関東北国のさすらい、そして晩年に於ける京都のわび住まい、その御一生は寂しくもまたわびしいものでありました。さびしかったに違いありません。世の俗塵に埋もれつつも、唯ひたすらに念仏一道が開かれてゆきます。高僧伝にも残らず、大地名鑑の住職にもなりたまわず、世の荒波と戦いつつ、九十年の御生涯を終わらせたもうたのであります。その中にもただ一貫しているものは、六字の大道であります。世の俗眼をもってすれば、馬鹿げきった下手な生き方であります。人のついて来そうもない生き方であります。

今は世にときめく人が「宗教とは、弱者や敗残者のみが入るべきもの、不幸に陥った者の入る世界、老人のみのたたくべき扉である」と言いました。弱者とは何のことでありましょう。仏の世界では柔道二段の力持ちを強者とは申しません。人と争って腕で勝ち、才能の力で一代に巨万の富をつくる人を強者とは言いません。名誉欲のために奔走（ほんそう）している者を強者とは言いません。

自己に克（か）つことは、時に百万の敵に勝つよりも困難であり、自己自身の相を知ることは、時に博士になるよりも至難であります。

貪欲、瞋恚、愚痴、浅間しい心から生い茂った一切を洗い流して、我自身の中に、尊きものを求めた時、一体何が残るのでありましょう。

敗残者とは何でありましょう。これ、おそらくは打ち続く不幸のために、再び幸福の得られない人のことや、家産を失い、愛する者に死なれ、思いがけない災難に、大地に泣いている人のことでありましょう。しかし、それらの人が敗残者でしょうか。入学試験に落第して、友は出世するにひきかえて、一生低い地位にいるのがはたして敗残でありましょうか。かのいわゆる強者と誇る人たちには聖人は弱者であり、敗残者に見えるでありましょう。しかし私どもは問うて見たい。不正の金で買った地位、多くの人を下敷きにして得られた権勢、それらがはたして成功でありましょうか、強者でありましょうか。

私どもは如来の智慧によって知らされました。何が無常であり、罪悪であり、亡ぶべきものであるか、何が永遠であり、尊いものであり、而してどうすることが真の人生の勝利であるかということを。

静かに静かに人生の雑音に耳を傾ける時、私に対する賞讃もあまりに的はずれをしたものであり、私に対する非難もまたあまりに私の真実を理解してくれないことを知らされます。

私を真に知る者は私であり、やがて如来のみであります。私どもが生きてゆくのは人に理解されるためでもなく、世間の誰に知られるためでもない。たとえ私の心のどこかに世間的な子になれとささやくものがいようとも。そして我等は世のいわゆる成功者であるよりも、こうした真の勝利者であることを求めます。

聖人の歩みたまいし道は、俗衆につけ入って自分を豊(ゆた)らかにする生活ではなくて、よし世の悪罵(あくば)や嘲笑(ちょうしょう)を買おうとも、如来の招喚の声に生かされる道でありました。世の民衆を真実に育て上げないでおいて、その愚かさを利用して、今日の平安を貪ってゆく宗教家、それが、弁円の如く、真実の歩みをなそうとする者を傷つけようとするのは当然であります。

俗衆は如来よりも、衣を拝み、儀式を拝み、肩書を拝み、堂々たる殿堂を拝む。更に凡夫の功利心は、仏を己れの欲望の対象に祭り上げて、祈願しようとする。讃岐国善通寺玉泉院のS僧正は驚くべき多くの印刷物を私に送り、拾銭より二拾円迄の金を送る者のために、八十八か所に代わりに参ってやって、家内安全、息災延命、当病平癒、商売繁昌、五穀成就、各願成就を祈ってやるから金を送って申し込めと、分厚い申し込み名簿まで送って来ました。弘法大師はこうした俗衆に投ずる末世の弟子を持ち、歪曲された仏教、邪教にまで堕落した真言の祖師と立てられて、はたして成仏出来るでありましょうか。或いは大師そのものの歩みに純化しきらない所があって拡大されたのかも知りません。親鸞聖人はかかる世界を「外儀は仏教のすがたにて　内心外道を帰敬せり」（島地一一―四〇、西六一八、東五〇九）と悲歎せられました。私どもは何もかも純化しきって歩まれた聖人の霊孫であることを喜ばずにはいられません。聖人は私どもに深い智慧の世界を知らせて下さいました。

私たちの同胞諸兄の中には、寺院僧侶の極く少数の方々があります。私は常にこの方々に対して尊敬の念を禁ずることが出来ません。これ等の方は皆、宗派心を超え、真に如来を聞き、如来に生かされんとする人たちだからであります。如来よりも宗派を生かし、み法より教団を、正法よりも権勢を、求道よりも堂班を、信仰よりも学階を、正法の伝持よりも裕福な生活を、更に正しい伝導よりも安価な俗受けを求めて、ただ高座に空虚なる自己を誤魔化し得ない方々であります。

如何に民衆の御機嫌が悪かろうと、貧しくなろうと、御法中の迫害に会おうと、それよりも強く正法を生かし如来に生きんとする方々であります。そうした歩みは教団に対する反逆ではないかと考える人もあるかも知れない。しかし私は信ずる。如来は第一義諦であります。如来を生命として真実に歩む僧であってこそ、本質的に教団を生かす人であることを私は信じます。教団は決して宗派心の我執によっては生かされない。

聖人の生きたもう道、それはあまりに地味であります。けれども人生の底にうなる大きな力の流れ、狭いけれども深い、そして根強いこの歩みこそ、真文化の基調ではあるまいか。我等は人生における船底の火夫でいい。高くそびゆる文明文化の殿堂の底に、如来金剛不壊の大信心に生きる力強い真実の人を求める。

法蔵菩薩の聖容は高原の陸地にそびゆる象牙の塔にはなくて、人間の生きる大地、はてしなく広がる群生の生きる生きた大地に拝せられる。我等は常にこの広野に立つべきであります。

聖人の巨歩を残したまいし生死煩悩の真唯中に、そしてそこにこそ必然の白道(びゃくどう)は横たわっています。

第三章　大乗仏教のこころ

南無阿弥陀仏の大行は「普賢」の徳の成就である

大乗とは普賢の徳の発揮である

一　応現

「久遠実成阿弥陀仏　五濁の凡愚をあはれみて
　釈迦牟尼仏としめしてぞ　迦耶城には応現する」（島地一一―一二〇、西五七二、東四八六）
「娑婆永劫の苦をすてて　浄土無為を期すること
　本師釈迦のちからなり　長時に慈恩を報ずべし」（島地一一―一二九、西五九三、東四九七）

それは春もたけなわな四月八日である、
拘利王の別殿のあるルンビニー園には、無憂樹の華が薄紅に咲いて、春のうららかな陽の光が、満庭をゆるやかに流れて、何ものかを待ちもうけるかに見える、美しい四月八日のことであった。
迦毘羅王国の浄飯大王の妃摩耶は、お郷里方である拘利王国に来たって、めでたいその日を待っておられたのであった。

ルンビニーを静かに賞でつつ、咲き誇る無憂樹の枝に手をふれさせられたその時だった。

ああ。その時だった。大地の光、人類の救主、後の大聖釈迦牟尼世尊は降誕せられたのであった。

生まれ出でたる者の「おぎゃあ」の声、ああ、その声は一体何を意味するか。

生まれ出るや、七足を運びつつ、天を指し、地を指して、天上天下唯我独尊！　と叫んだのが釈尊であった。

釈尊、キリスト、孔子、親鸞、ナポレオン、石川五右衛門、秦の始皇帝、ベートーベン、ロダン……その全てが「おぎゃあ」と生まれたのだ。

しかもその一生の歩みが、やがてこの「おぎゃあ」の声に何等かの意味を盛りあげる。

人類の上により大きな苦難をもたらすような呪われた存在として一生を過ごすのか。

束縛の桎梏の中にあえぐ大衆を自由の楽園につれ出す尊き一生を送るのか。

やがての日の大聖生れましぬ。

天上天下唯我独尊

世界人類が救われる予告として、人々に「自己を知れ」と促す叫びの如く聞かれるではないか。

我等はすでに「おぎゃあ」の声を過去にして、生と死の間に呼吸をつづけている。「おぎゃあ」の声は我等の無意識の世界であった。

最初があれば最後がある。やがて死の床に横たわる時、我等の死は何を意味するのか。死の刹那に何が荘厳（しょうごん）され、あるいは何が一生を象徴するのだ。その象徴がやがて「おぎゃあ」の声の内容を象徴する。

人生は厳粛である。真剣なる生き方をせよ。

汝の今日の歩みが、汝の死が何であるかを決定し、汝の「おぎゃあ」の声が何であったかを決定する。

迦毘羅城は歓喜の中に包まれた。

浄飯大王は継嗣（よつぎ）の君の御誕生を心からお喜びになった。

しかし満つればかぐる世の相、聖母摩耶は不幸にして、太子御降誕と共に、地上に消えて天上の人となられた。

人生の無常は如何なる時にも、如何なる処にも遠慮をしない。

悉多太子（しったたいし）はお叔母君、摩訶波闍婆提（まかばしゃばだい）の手に育てられて行った。

「我、正覚を成就せざればこの座を起たず！」

菩提樹下、大磐石上の釈尊を憶う。

最後の時が来たのだ。王位を棄て、国を捨て、富を棄て、妃を、子を、そしてその他一切を棄てた釈尊が、不滅の大道を発見するのか、遂に苦悶と懐疑と、敗残におわるのか、歩んで至った必然の至境、彼は今、遂に正覚のみ座にのぼる。


満たされざる心、新しい芽が一切を破って誕生する。

生命の内奥に動き出でる、自覚への声、何を与えてもうなずかぬ魂。

美姫幾百千も無効であった。夏、冬、雨期の三時殿も無意味だった。妻子に対する愛執も、その願心よりは弱かった。

人は皆、名誉を、地位を、事業を、学問を、それを成就したるものを人生の勝利者だという。けれども、生まれて、老いて、病んで、そして死ぬる。しかもその間に、不断に、貪欲(とんよく)の奴隷となり、瞋恚(しんに)の悪鬼となり、愚痴の幽霊となって、無意味なる営みをつづけつつ無明界に浮沈する。その痛ましい闘争、相殺の自害害彼の現実相、人類最後のものは一体何なのか。真実生活とは何なのか。

真理は常に一人の天才を借りて叫ぶ！

おそるべきは天才である。

天才は悩む。鋭いが故に悩む。

生老病死を見て悩む釈尊、
弱肉強食の一切群生の相に大悲同感して苦しむ釈尊。

花園の蔭、宮庭の深窓、狩猟の野、安価なる異性の媚(こ)び、天地、自然、一切の人、それらがよってたかって、釈尊を悩みへ悩みへとつれてゆく。

悩む者は悩みぬけ！

沈む者は沈みきれ！

悩む心は何かを求める心だ。今ある何ものにも満足することの出来ない心だ。この心が遂に釈尊をして一切を捨てて求道の途に出発せしめたのだ。


二月七日の夜、名馬カンダカに乗って、チャンナをつれて出家する釈尊の心、その悲痛な心、その厳粛な心、この心を味わわなかった聖者があり得るか。

魂を打ち込んだことのみに生命の血は流れている。

生命をつぐ者は生命を捧げてゆく。

かくて太子は抜迦林(ばぎゃりん)の奥深く、有名なる抜迦仙をたずね、更に弥楼山(みるせん)に阿羅々仙人(あららせんにん)を訪れ、遂に鬱陀羅仙(うつだらせん)に会って道を聞いたが、失望の外何ものもなかった。

太子は尼連禅河(にれんぜんが)のほとり、象頭山(ぞうずせん)の優留毘羅(うるびら)の林に入って、大苦行をはじめた。その苦行六年……しかし苦行は決して真実の悟りに入るべき方法でないことを知るや、その苦行を棄ててしまった。

その時代の皆が承認せる習慣とおきてを棄てることはむずかしい。

苦行無効、苦行林をすてた太子は、尼連禅河に入って沐浴して身を清め、善生村(ぜんしょうむら)の長(おさ)の娘の供養する乳糜(にゅうび)に体力を養い、伽耶山に入って菩提樹下、大磐石の上に、結伽趺坐(けっかふざ)した。

「虚空より刀杖、我が身に雨降り寸々節々に体を割くとも
我もし生死海を渡らずば、この菩提樹下を終(つい)に移らず」

釈尊が菩提樹下に端坐冥想するや、悪魔は、その成道をさまたげようとする。
美しい女の媚び、雨降る刀剣、
天地に轟く雷鳴、群がる悪鬼夜叉、

天地は曇り、烈風大雨のすさまじさ、今や大魔王は最後の奮戦をこころみた。太子の金剛心の前には一切無効であった。

人生をすねた中年男、真面目な問題を、からかいや、皮肉で茶化してしまうお人好し、自分の存在が、他人を苦しめる中心であろうが、我欲さえ満たされたらそれでいい我利我利根性、一生騒々しいジャズ的気分で送れる人、そうした人には、悪魔は見えない。悪魔の支配の下に生きるが故に、悪魔は見えない。随って釈尊のこの精進は結局無意味であろう。

時は二月七日の夜更け、一切の悪魔煩悩はその大慈悲に摂取されてしまった。寒月高く中天にかかり、天地寂として声なし。太子の心又いよいよ寂静、欲を離れ、悪を去り、深い禅定に入って平等を覚り、苦楽喜愛を亡くし、一切の囚われより解脱して遠き過去を憶い、宿世を感じ、一切の無明をはなれて、闇は遂に破れた。

更に二更に至れば、神通の眼開いて、十方世界のはてしなき衆生が、はてしなき生死界に流転する様をつきとめて、十方世界は我が有なり、一切衆生は我が子なりと叫び、大悲の涙は一切衆生の上にそそがれた。

更に三更に至るや、苦の因をつきとめて煩悩であることを知り、これを滅するの道を明らかにさとり、一切衆生が無始以来、生死流転するは、無明を根本とする十二因縁の因果によると悟り、根本無明を大般若の智慧によって破り、ここに大光明は太子の心中に輝き一切万法の根源をつきとめて心安らけく身は清浄。

第四更、暁の明星燦(さん)として輝く頃、太子一生の大願は円満に成就して、無上覚をば開かれた。太子三十五歳、二月八日ついに釈迦牟尼仏は誕生せられたのである。

小我は滅して大我に生き、
生死を超えて涅槃をさとり、
久遠の法身は顕現しおわりぬ。
煩悩即菩提、生死即涅槃の妙境。

最高理念の実現せられたる絶対人格は、永く亜細亜(アジア)の光として、一切衆生の救主として、両足を一切衆生救済の聖業に運び出したのであった。

四月八日！　そは実に後の如来を生んだ日であった。この天才を待って、久遠の法身は、応化の仏を生み、自然(じねん)に法爾(ほうに)に真理を名告らせたのであった。

星霜流れて二千五百年。釈尊の上に流れた生命の血は、龍樹(りゅうじゅ)の上に、天親(てんじん)の上に、曇鸞(どんらん)、道綽、善導、源信、法然、親鸞、その他億々の衆生心を仏化しつつ、遂に今日我等の上に南無阿弥陀仏となって回向顕現した。

合掌のうちに広大なる恩徳を謝す。而して限りなく大悲の血の流れよかしと念ずる。

二　ひとつの生命

万緑

六月のすがすがしい陽の光が、新緑の木の間を透明に流れます。

花から若葉へと変わった天地は滴るような緑に、若人の肌のような艶を見せて、明るい午前の陽光に輝いています。

万象はただ一つの力に生ききっています。はちきれるような生命のたぎりが若芽の上に躍動しています。

野も緑です。山も緑、街も緑、同一の色彩が大地を包んでいます。谷間の白百合がその色をひきたてる。

一切大聖

「我聞く　是の如し
一時　仏　王舎城耆闍崛山の中に住し
大比丘衆、万二千人と倶なりき
一切の大聖、神通已に達せり」
（島地一―一、西三、東一）

これは親鸞聖人が唯一の真実教として見出されたる『大無量寿経』の巻頭の大文字でありま す。

耆闍崛山における『大無量寿経』の会座は将に開かれようとしています。そしてそこには万二千の大衆が列座します。しかもそれが皆「大聖」ばかりであります。智慧と慈悲の眼の開かれたる「神通已達」の大聖ばかりであります。初夏の天地の若葉のように……。

同一の生命

私たちが講演しましても、現世祈禱の迷信ばかりに囚われた村で、十八願の世界どころか、真実生活などと申しても、てんでわかってくれません。全くの無教地で、人生などについて考えたこともない。我利我利根性に全く捕えられて、金か、でなければ名誉か、でなければ色か、それしか考えていない人たちに、深い宗教的な世界を語ろうとしたって、それは全く徒労であります。深い世界を聞くのには、それ相当の準備を要します。

何を聞いて感心しているかを見たら、その人の世界の深さがわかります。

長い間釈尊のお側に常随していた阿難尊者すらが、驚きの眼を見はらなくてはいられなかった釈尊の聖容、それは実に万二千の大聖たちの前においての光景でありました。

今日は釈尊は何をお説きになってもわかるのです。それぞれの人に差別はありながら、差別を超えて大衆の中には、同一の生命が躍っていたのです。

その万人の上に躍動せる生命は何であったのでしょう。

それこそ、即ち法蔵菩薩の本願そのものであったのではありますまいか。

ああ、同一の聖き（きよき）いのちのたぎり、同一念仏の同胞の大会衆、釈尊が輝かれたのも無理はありません。

この信境

私どもは今、二千五百年の時の隔たりを超えて、万二千の「神通已達」の大聖の前に宣説せられたる『大経』の会座に列して、この大乗無上の法を聴き得ることを喜ばないではいられません。

二千五百年の古には、この力が釈尊の衷心に躍動して、

「天上天下唯我独尊」

と叫ばしめ、この生命の光が七百年の昔には、親鸞聖人をして、

「愚禿親鸞！」

と大地に一切衆生の罪悪苦悩を荷負して合掌せしめました。

昭和の今日、同一なるこの大信が、念仏が、ささやかなる我等の上によびかけて、信一念として我等の上に火蓋をきりました。

「ああ　弘誓の強縁は多生にも値ひがたく　真実の浄信は億劫にも獲がたし　遇(たまたま)行信を獲ば遠く宿縁を慶べ」

(島地一二―一、西一三二、東一四九)

それは聖人の歓喜にみちた信境でありました。


これなくしては生きることも死ぬことも出来ないという、人間最後のたった一つのもの、これを獲なければ、人生は結局酔生夢死。唯ナンセンスな悪夢にすぎない。聖人にとっては『大経』によって獲られたる法蔵の願心、仏の名号、これがなかったならば、遂に人生は呪われたる生死界でしかなかったのです。釈尊一代の八万の法蔵すらが用のない煩雑な哲学である。ただこれあるが故に、人生の全ての矛盾も呪いも解けて、真に笑い得る、尊き道の生きる園林遊(おんりんゆ)

戯地(げじ)。

眼をつぶる。親しい念仏の同胞が見える。

同一の念仏の呼吸をつづけ、同一の信の血に結ばれた同胞たちが。最後まで愛し合い、結ばれあい、育てあうべき、最上の宿善の力によって会うことの出来た同胞たちが。おお、諸上善人倶会一処(くえいっしょ)。

形骸をこえて

『大無量寿経』の会座を憶う。

集まった人たちの中にはたった一つのものが流れていた。釈尊の中に流れたいのちは万二千の聖者たちの中を流れるいのちであった。

そこには教える先生と、教えられる弟子との差別はなかった。

世間では学歴がものを言います。権力がものを言います。地位がものを言います。金力がものを言います。門閥がものを言います。

しかし釈尊の世界ではそんなものを持ち込むことを許されませんでした。王族の出である阿難も、首陀羅種（しゅだらしゅ）の出である身分の卑しかった尼提（にだい）も、平等に仏の可愛い尊者でありました。

諸行無常の前には門閥や学歴によって差別はありません。

人間の本質的価値、存在の尊厳さ、生きねばならぬ権利に差別のあろうはずがありません。

更に目覚めたる人の心に恵まれる「信」の生命のたぎりに、変わりのあろうはずがありません。

私たちの世界でも
学歴がものを言いません。

権力もものを言わない。

金力も家柄もその他全てがものを言わない。

ただ私のうちに燃えているこの念願が、願心のみがものを言うだけです。

私たちの陣営では殊更にこの同胞意識がはっきりしています。たとえ私たちは今浅間しい憎悪によって隔てられているにしても、一度同一の念願にむかって歩みはじめた時、たった一つの久遠の真実に目覚めた時、同じ「信」が誕生します。同一の地下水が自然法爾（じねんほうに）にお念仏となります。

私たちの魂は、たとえ肉親の親族であろうとも、この同一の如来の血潮に目覚めてつながれない以上、他人も同様であることを知りすぎています。私どもが時に淋しさを感ずるのも、時に涙するのも、義憤や公憤を感ずるのもそれがためです。

私たちは形式や殻や、殿堂や、教権や煩雑な教理や規則だけが残り、何でもないお金で買った肩書や、衣の色や、学階だけがものを言って、すでに生命の脈のあがってしまった世界を嫌います。今の初夏のように魂の躍動した世界を慕います。ですからブルジョア的な形骸だけが残った無生命な世界を超えて、この血の流れた、輝かしい世界を造って歩みます。

この喜悦

私たちは誰とでもすぐ同胞になります。

浜辺におりたって網を引く人とでも、中学校の教室で教鞭とっている文学士とでも。患者の脈をとっていなさるお医者様も、工場で糸をくっている乙女子も、田園に土を耕す若人も、それが一切を棄て、人間線上に下り立って、この清浄なる如来の信の血に一味となる以上、私たちは、唯お互いの尊敬と、礼儀と、よろこびによって結ばれている同胞であります。

来る手紙も来る手紙もこの強い同胞意識の盛られていないものがあろうか。

「一切衆生をながめては

生々世々の親よ子よ

南無阿弥陀仏に目覚めなば

はてしも知らぬ群生に
無限の愛の涙わく
聖親鸞の偉大なる」（第二国歌　世の光）

怨親平等にただ同胞である。

否その単なる怨親平等の思想すら外道である。

法蔵菩薩は一切群生の下座に合掌したもう。

その世界に下りて合掌する時、大信海に於て一切衆生は同胞である。

過去の聖者は怨親平等を生活の上に実践した。一切衆生悉皆同胞の信こそ、親鸞聖人の道義の根底であった。

私たちは今、この信の世界において、あなたとあった。

涙ぐましいほどの生の喜悦と、躍動するいのちを感ずる。

一切を超えて

『大無量寿経』の会座において、釈尊は、

「爾時、世尊、諸根悦予し、姿色清浄にして光顔巍巍（ぎぎ）たり……　今日、世尊、諸根悦予し、姿色清浄にして光顔巍巍たること明浄なる鏡の影表裏に暢（とお）るが如し、威容顕曜（けんよう）にして超絶無

量なり　未だ曾て殊妙なること今の如くなるを瞻覩せず……」（島地一―六、西八、東六）

諸根即ち、目と耳と鼻と口と体と意、この六根ことごとく、よろこびに輝いておられた相の表白です。

内に尊いものが輝く時、外にも現われて来ます。釈尊のみ相の輝かしく、光顔巍巍とましました世界を阿難は五徳をあげて讃嘆した末に「去・来・現の仏、仏と仏と相念じたまえり。今の仏も諸仏を念じたもうことなきことを得んや」と申しました。『大無量寿経』は実にこの「仏仏相念」即ち念仏の世界から生まれたものであります。『大経』の会座における釈尊は法を念ずる仏でなくして、仏を念ずる仏であったのであります。その念じられた仏こそ、南無阿弥陀仏でありました。

私たち同胞が集まりました時、他のいずれの会合よりも、親しさと喜びを感じます。「同一に念仏して別の道なきが故に、遠く通ずるに夫れ四海之内皆兄弟」（島地一二―一二〇、西三一〇、東二八二）だからであります。

釈尊の上に躍動した法蔵魂が万二千の人の上に、そして今日の我等の上に躍ります。

青色青光、黄色黄光、赤色赤光、白色白光と咲く華に差別はあっても、その根底に動く力に二つはありません。みな如来の正覚より生まれた春の華にすぎません。

如来浄華ノ衆ハ　正覚ノ華ヨリ化生ズ

如来浄華の衆とは「他力の大信心を得たる人を浄華の衆とはいうなり。これはおなじく正覚の華より生ずるなり」（『安心決定抄』）（島地二八―九、西一三九七、東九五二）。

『大経』の尊き会座はそのまま十方無量の諸仏まします真如界に通じます。そしてその尊き会座はそのまま我等の念仏の生活に通じます。

我等の喜びは我等の骨髄に徹したもう法蔵の本願に結ばれて一つであります。

私たちは何時も一切のはからいを棄てて如来の大信海にかえります。

善悪一切を超えて、浄穢全てを超えて、裁きの役だたない世界に飛躍します時、私たちは、そこに多くの同胞を発見します。

天親（てんじん）菩薩は、念仏の讃嘆文によって、そこに大会衆門（だいえしゅもん）が開かれると申されました。大会衆門とは如来による聖者の集会であります。

聖人は十七願の十方世界無量の諸仏の上に咨嗟（ししゃ）讃嘆せられる名号が、そのまま我等の上に成就せられる大行念仏であると説破されました。

我等の上に名告られてある念仏は、そのまま十方無量の諸仏の上に名告られる念仏であります。

我等は今、この全一なる光の世界に生まれ出でました。

同一の念願

我等は同一の願いに生きています。
我等は同一の希望に輝いています。
我等は同一の如来の生命に燃えています。
我等は同一の喜悦に結ばれています。
我等は同一の白道（びゃくどう）を歩ませて頂いています。
我等は同一の生命に躍っています。
我等のこの同一の火の力はぐんぐんと野火のように拡大されてゆきます。

我等の魂の根本の願いは、万人が一つにつながって互いに笑むことの出来る世界を成就しようということです。ことさら好きこのんで戦いをする者が何処にありましょう。闘争するどころか、皆が一つのよろこびに浸りたいのです。人類はこの念願成就のために努力して来ました。我等はこの衷心の願いを妨げる一切のものを排除するために戦わねばなりません。人間に闘争がおこるのは、真の平和を成就するためだったと言ってもいいのです。

太陽を見よ

「先生私は淋しいのです。私の二十五年の生涯は無意味のものだったのです。私は人生について考えはじめました。そうして懸命な求道が始まりました。私は飽くことなき心のままに、聞きはじめました。私の前には全く違った世界が拡げられて来ました。私はこれまで小さい我の殻に立てこもり、人生を愚痴な心でひがんでながめ、人を裁き呪って、我と自ら滅亡の墓穴を掘っていたのです。私はやっとそれから浮かび上がって、天日を拝ませて貰ったような気がします。暗かった私の心は喜びに輝き、重々しかった私の心は明るくなり、狭かった私の心は広くなりました。

しかし私はその眼を持って私の周囲を視ました。見ねばならぬ日が来ました。私の心には一時に淋しさがおそって来ました。父は母は、兄弟は、友人は、そして隣人たちは、生活の中心に本尊をも持たないで、唯ジャズ的な空気の中で、今日一日を無意味に遊んでいる人、物質の奴隷になっている者、迷信祈禱を有難がっている者、人間苦に虐げられて泣いている者、狂暴な悪魔性を発揮して恥じない者、安価なエロ・グロの世界に堕落した者。私は眼もあてられない様子を見出さねばなりませんでした。

それぱかりか、私は、父からさえ侮辱の眼を持ってながめられていました。『道の、信念の、と言っておられるか。要するに人間はずるい奴、世間をいい加減にゴマ化す奴が勝つのだ。金だよ』、親からさえこんな言葉を聞かねばなりませんでした。『生だの、死だの、と言った所で何になるのだ。お前も勉強して、出世でもするのだ』とは、伯父の言葉でありました。友人の読物は安価なナンセンスなエロ・グロです。私たちの言うことを聞きそうにさえもありません。私はそこに淋しい世界を発見しなくてはなりませんでした」

明月や座頭の妻の泣く夜哉

あなたの涙は苦を逃避しようとする者のそれでもなく、楽が得られないという愚痴でもなく、一切を受けまいとする惰慢でもない。

私はその涙を知りすぎる！

しかしその涙はやがて何を生むのか。

もう一度活眼（かつげん）を開け、それだけでは、あなたは再び大きな愚痴に陥る。

あなたの周囲は、はたしてあなたを殺すか、それとも生かすのか。

太陽を見よ！

重ねていう。太陽を見よ！

奇蹟

奇蹟！　不思議！

過去の偉大なる聖者たちの徳を表すために、普通の形をしていない植物などを結びつけて、やれ逆竹（さかさだけ）の不思議、やれ焼栗の芽、そんな不思議と聖者の徳とを一つにして、無知なる民衆を拝ませたり、喜ばせたりしました。しかしそれがはたして聖者の徳でしたでしょうか。私たちはかかる無知を恥じなければなりません。

しかし私どもは奇蹟を信じます。
学識も富も年齢も何不足のない人が何故に平凡なのでしょう。
然るに二十二歳の彼女は一市を動かしました。又一村を動かしました。人が褒めようと、貶そうと、さながら聞こえないものの如く、黙々として活動しつづける彼女は、あれだけの仕事をしました。それを見た時、奇蹟だと思います。
平凡人には出来そうもない仕事をやってのけた時、
何か普通人では持てない苦悩を勝ちつづけて生ききった人を見る時、
普通の人には出来そうもない生活を何か持つが故に成就されたのだと思う時、

私たちは奇蹟をその上に見ます。

奇蹟のないような一生はぐうたら一生です。


衣服の色柄を言われる位で二日も三日も苦しまねばならぬ老婆が、親鸞聖人の稲田の草庵における弁円との事実をただ有難いことと涙を流しています。

生活は出来ていなくても涙は流れる。

彼等は唯、親鸞見物人にすぎない。

我等は唯、聖者の見物人であっていいのか。

あなたの中には、どれだけの力がある！

つまらぬ善悪観念や、世間体に心をひかれる弱虫に何が出来よう。

如来があるのかないのか、そんなぐうたらな質問にお答えする時間を持たない。

全我をなげ出せ、奇蹟が生まれる。

ただそれだけだ。

南無阿弥陀仏は如来の生命であると共に、煩悩に燃えあがる人間のいのちである。

三　内部生命の充実

1、教

我々は、若葉青葉の茂っているのを見ると、張りきった内部生命の充実を感じます。若葉の頃とならなくても、雪や氷の中に、蕾や芽をつけた樹の上にもこの充実を感じます。如何なる場合にも生命はそれを外部より添えたり、加えたりすることは出来ません。内部より跳り出で、湧き出でる力であります。この内から跳り出る力のみが、自然に、何ものかを成就してゆくのであります。ですから、内からの力が湧いて出て来ない時は伸ぶことも、創造することも不可能であります。

草木でありますと、水をやり、肥料をやりますと、内からそれ自身の力として、葉を茂らせ、花を咲かす力が出て来ますが、人間はただ食物を摂っただけでは、人間としての創造生活をしているとは言われません。草木は、憂鬱だとか、不平だとか、瞋恚（しんに）、愚痴、嫉妬、懈怠（けだい）、等々の心を持ちませんが、人間だけは、そうした暗黒な心をおこし退転したり、流転したりします。

が、しかし、それ故に又精神文化の世界をも持ち得るのであります。この精神生活を持つということが人間の特徴であって、不平があるかわりに感謝を持ち、泣くことがあればこそ、笑うことがあるのであります。

そこで精神生活における食物は何であるのか。それは、「教」であります。この教ほど文化的創造の世界に必要なものはありません。教と言う字は又、教と読みます。教とは法であります。法とは、私どもが知るに先だって天地に動いている真理のことであります。その真理が、我々に体験せられて法となり、言葉言語となって教、即ち教となるのであります。この教こそは、魂の尊い食物であります。ですから釈尊は、この正しい教、み法を聞くということが、聖なるものを体得する唯一の方法であることを断言されたのであります。

随って真実の内部生命の充実は唯、真実の教を聞くということより外に生まれては来ません。真実の教が生きることによってのみ、高い生命の充実はあり得るのであります。而してこの真実教によって生まれる内部生命の充実を「金剛の信」ということが出来ます。信とは、如来の本願、如来の生命が、衆生の生命となった相であります。

我等は釈尊の上にこの大生命の充実を拝します。親鸞聖人の生命は如来の金剛の大信であることを拝みます。智慧と慈悲、それは如来心そのものであります。教以前に実在する法そのものであります。而して我等は、真実に真実教を聞くことによって、この生命にふれて、大信心の衆生たるのであります。信心というのも、この智慧と慈悲、即ち如来の血液の充実であります。生命の充実であります。

2、自然法爾

親鸞聖人は、この他力の信を自然法爾（じねんほうに）という語で表されました。自然というも、法爾というも、それは人間の小さい小賢しいはからいを超えて、如来の願力に生きる相であります。自然のものは生きております。自然の相は生きた相であります。鎖でつないだり、型に入れたりして出来たものは死んでおります。内に火の消えたものに、外部から油をかけたとて何にもなりません。鎖を切り、箱から出した時、その時現われる相が、そのものの真実の相であります。また鎖をつけられたら、型を持って来られたら、消えてなくなるのも、内部生命に何ものも無かったのであります。真実に本願に立ち上がった者の前には必ず、何らかの新しい天地が開いて来ます。

自然法爾とは、外から動かされる相でなくて、内から如来に生かされ動かされる生命充実の相であります。

しかし、単なる自然というだけでは、逆悪もまた自然であります。そこで、自然は、いわゆる業道（ごうどう）自然と願力自然とに厳然としてわかたるべきであります。業道自然とは、本能的な自然であり、願力自然とは智慧光によって生まれる生活、如来の本願力による自然であります。第一義的自然であります。

人生創造を口にする人たちが、もし人間本能の放縦性にまかせて、それを美化し、肯定することをもって人生創造と考えるならば、それは大いなる誤りであります。

親鸞聖人は、自然法爾、即ち願力自然を説くにあたって先ず「獲得（ぎゃくとく）名号」を提唱されました。

獲の字は因位のときうるを獲という……
得の字は果位のときにいたりてうることを得という……　｝衆生の因果

名の字は因位のときのなを名という……
号の字は果位のときのなを号という……　｝仏の因果

名号とは前に述べた通り、南無阿弥陀仏の大行であります。この大行を獲得することによって、衆生の因果、菩薩から……仏への世界が開けて来るのであります。衆生の限りなき無明は、如来の智慧光に照破され、底なき煩悩の土壌は、如来名号の果種（たね）を懐いてのみ、そこに第一義的な自然法爾に生きるのであります。

自然とは、行者のはからいを超えて、如来の純なる意志（みこころ）に動かされて生きる、生命充実の相であります。大信心とは、この自然法爾なる生活の根底に内在する根本的な人間の力であります。この大信心の自証なくして、どこに本格的な人生創造があり得ましょう。

『涅槃経』長寿品第四に曰く、

「大迦葉（だいかしょう）よ。恒河……悉陀河（しっだが）等の八大河、及び、諸の小河は皆悉く大海に入る。是の如く、一切の人、天、地、虚空の寿命の大河は悉く如来寿命海の中に入るのである。是の故に如来の寿命は無量である。復次に迦葉よ。たとえば阿耨達池（あのくだっち）は、四大河を出しているが如く、如来も亦そうである。一切の命を出したもうのである」。

一切の生命は如来に帰し、一切の命は如来より出る。

生命は、人間のはからいでつくられるものではない。生命のみは、永遠に人間によって左右し、造り出し、はからうことを許されないたった一つのものである。如来は生命の生命である。

生命の限りなき発展をおいて何処に創造があろう。人間のはからいをすてて、この無量寿の生命に帰すること、ここに創造生活の第一条件がある。生命の充実とは如来の大信に生きることである。

四　聖心

「仏の無碍智の如きは　通達して照さざる靡し
願はくは我が功慧力　此の最勝尊に等しからん。
斯の願若し剋果せば　大千応に感動すべし
虚空の諸の天人　当に珍妙　華を雨らすべし。

　仏、阿難に告げたまはく　法蔵比丘、此の頌を説き已るに　時に応じて普地六種に震動す　天より妙華を雨らし、以て其上に散し　自然の音楽ありて空中に讃じて言く『決定して必ず無上正覚を成ぜん』と　是に於て法蔵比丘、斯の如きの大願を具足し修満して誠諦不虚なり　世間に超出して深く寂滅を楽へり　阿難、時に彼の比丘、其の仏の所・諸天魔梵・龍神八部・大衆の中に於て　斯の弘誓を発し、此の願を建て已りて、一向専志に妙土を荘厳す」（『大無量寿経』）

（島地一—二三、西二六、東二六）

美しい魂

大地微塵劫(みじんごう)の末までも、人間の心には三毒の煩悩が無くはならない。生死海なるが故に一切衆生の心は醜い。二千五百年の古(いにしえ)も、人生は五濁悪世であり、七百年昔にも大地は生死海であり、現在もまた生死濁悪の巷である。かくして幾千万年後も、その又後も生死海は罪悪生死の苦海に外ならない。

しかし、二千五百年の昔にも美しい魂はあった。七百年の古にも尊い心臓はあった。そして現在にも高い人格はある。それの如く幾千万年の後にも聖なる魂はあり得る。

永遠に濁悪そのものである一切衆生の上に、尊き清き心を成就するものは、久遠の仏心そのものである。如来はその尊き心を必ず人生に実現したもう。さればもし人生に清き尊き魂ありとせば、それは如来の清浄なる心の回向に外ならない。

法蔵菩薩

『大無量寿経』を説ける日に、何故に釈尊は「我は久遠劫(くおんごう)の古に法蔵菩薩であった。その時、五劫の思惟により四十八願を建立し、兆載永劫(ちょうさいようごう)の修行によりて……云々」と説かずして、全く我ならぬものとして法蔵の本願を説きたもうたのであるか。

これこそ誠に『大無量寿経』の特色であり、浄土の教えの本質である。法蔵の名において本願を説き、阿弥陀仏の号によって名号を名告る。一仏の本願は一切仏の本願であり、一仏の心は一切仏の心である。釈尊の上に生きたるものも、法蔵の本願であり、恒沙の諸仏如来、無量の菩薩の衷心に動くものも亦、その本願である。法蔵菩薩の誓願こそ、時と処を超えて一切衆生を救うて仏陀たらしめる根本原理を説けるものである。

一切衆生も亦、『大無量寿経』真実の教えを聞いて、回心懺悔して、如来本願海に帰入する。昨日もその本願に生ききる人を拝み、今日も亦、如来本願の威神力を人の上に明らかに拝む。尊き魂は真実教の流れる処に誕生す。

誓願

光顔巍巍として威神極りなき、世自在王如来の正覚の光は、静かに国王の心を照り覚まして、法蔵菩薩を誕生せしめた。

「時に国王有り　仏の説法を聞きて心に悦予を懐き　尋ち無上正真道意を発し　国を棄て、
王を捐て、行じて沙門となる　号して法蔵と曰ふ」（島地一―九、西一一、東一〇）

国とは富なり、王とは権勢名利の象徴なり、国と王とをすてる処、無上正真の道意顕る。本願生まる。

菩薩は必ず長跪（じょうき）合掌して師仏の前に全我を投げる。仏法僧の三宝の前に五体投地して絶対帰依する者あらば、悉くこれ法蔵本願海の事実である。仏法はこれより外の処に成就せられず。

光と暗

もし我等、合掌念仏して如来に帰命すれば、心眼に映ずるものはただ全一なる如来の光明のみ。然るにもし、光を背にして人生に向かえば、人生は闇に底なき極めて複雑なる差別相そのものである。

彼岸は遂に彼岸であり、此岸は永遠に此岸であるのか。光は永遠に光であり、暗は遂に暗であるのか。差別と平等、一と多、二者は遂に二者であるのか。

然るに我等は『無量寿経』においてその解決を見る。二つが永遠に二つなるが故に一であり、浄土は生死（しょうじ）に非ず、それなるが故に、二をして一ならしめ、永遠に内的一なる必然交渉を持たしめるもの、即ち、法蔵の本願である。

「如来は浄土に実在し、本願は人生に実現せられる」

回向顕現

真に法蔵菩薩こそは、限りなき生死海を、御身自らの大慈悲の内容として荷負したまい、涅槃寂静の光に向かって正覚成就を誓い、これによって無限の衆生を救わんと誓いたもう。我等は四十八願の一一の上に、大悲の心を拝む。

「我超世の願を建つ　必ず無上道に至らん
斯の願満足せずば　誓ひて正覚を成ぜじ。
我無量劫に於て　大施主と為りて
普く諸の貧苦を済はずば　誓ひて正覚を成ぜじ。
我仏道を成ずるに至りて　名声十方に超えん
究竟して聞ゆる所靡くば　誓ひて正覚を成ぜじ」

（島地一―一二二、西二四、東一五）

三度誓いたまいし誓願虚しからず、その名号は今我等の上に回向せられて、信心歓喜の念仏道は成就せられてあるではないか。

法蔵菩薩は、かくの如き超世無上の本願を建て、師仏世自在王如来に向かって、つぶさにこれを演べて、その証誠を求めたもうと共に、

「斯の願若し剋果（こくか）せば　大千応に感動すべし
虚空の諸の天人　当に珍妙華を雨らすべし」

（島地一―一二三、西二五、東一六）

と、天地の証明を求めたもうた。

美しきものは讃嘆されねばならない。天地は具体的一である。法蔵の本願の生まれます処、

時に大地は六種に震動し、天より妙華を雨らし、微妙(みみょう)の音楽自然(じねん)におこり、空中に声あって讃嘆して曰く「決定して必ず無上正覚を成ぜん」と。

何たる荘重尊厳なる証誠の声であろう。法蔵菩薩の魂は、唯一絶対なる無上道を志求し成就せんとする純粋なる意志である。無我清浄なる本願は、必ず実現されねばならぬ。成就されねばならぬ。仏陀は決して一切の打算から生まれはしない。無限の衆生の暗(やみ)に対する大慈悲と、み法(のり)に対する智慧からのみ生まれる。然り、仏陀はみ法から生まれる。無理や邪見から生まれはしない。み法はまた法身ともよばれ、真如とも言われる。聖なる法身以外に仏陀を誕生せしめはしない。随って如来の正覚は自然である。自然の讃嘆が生まれる所以である。そして仏陀は、大慈悲によって、み法を衆生に実現する以外に救いを約束しない。

如来の本願がかくの如きものである以上、本願は必ず正覚を成就する。正覚を成就しても永久にかくの如き本願を内具する。彼は智慧なるが故に正覚成就すると共に、慈悲なるが故に永久に衆生を成就せんとして生死海にある。かかる弘誓願(ぐぜいがん)をおいて外に釈尊もなく三世十方恒沙の諸仏如来もなく、七高僧、親鸞聖人も亦あり得ない。現実の念仏行者も亦あり得ないのである。

誠諦不虚

「是に於て法蔵比丘、斯の如き大願を具足し修満して誠諦不虚なり　世間に超出して深く寂滅を楽へり」

誠に「斯の如き大願」こそは、微塵の汚れなき清浄真実なる仏心の人生における具体的表現である。無明煩悩の中にありつつ、それに染まぬ聖なる白蓮華である。

誠に世に尊きものは、清き霊性である。

世に輝くべきものは、貴き真証である。

世に広大なるものは、真実なる心性である。

而して永劫不滅なるものもまた清浄なる魂である。

世の常識は、世間の穢悪がこの尊厳にして聖なる魂の誕生を拒むと思う。しかしそうではない。聖なる心蓮華は、濁悪の泥の中にこそ開くのであった。

荘厳華麗なる『華厳経』には、仏陀の広大なる相は説かれても、悲痛なる生死海の描写がない。『法華経』は、妙法蓮華の尊高は説かれてもそれの咲く泥が出してない。『涅槃経』には、五逆、謗法、闡提の難治の三病の痛ましさは現われていても、如来との交渉が審らかでない。独り『大無量寿経』において、光と暗、如来と衆生との内的交渉、即ち仏陀の本願が詳説されである。

法蔵菩薩とは、実に悲痛なる泥土の中に顕現する至高、至純、最尊、最勝なる心蓮華の全き表現である。

「斯の如き大願を具足し修満して誠諦不虚なり」

かかる最尊最勝なる願に欠くる処なきが故に具足と言われ、修飾満足と、かざり満たされるが故に修満と言われる。「誠諦不虚なり」。誠諦とは「まこと」である。誠諦を全うじて虚しからず。如来の誓願をおいて、誠諦はあり得ない。誠諦虚しきものは、魔であり、外道であり凡夫である。仏道とは実に誠諦不虚の大道である。

深楽寂滅

「世間に超出して深く寂滅を楽へり」

凡夫は誠諦なくただ欲心のみありて、世間に執着せるものである。世間の騒音の中に欲の幻を追って、内より外に、本より末に、真実より虚偽に、本性より狂態に、故郷より旅路に、寂静より生死動乱へと流転せるものである。

「世間に超出して深く寂滅を楽へり」

「寂滅を楽う」とは、誠に菩薩の願意である。世間憒閙の法を遠離して、その縛着を超え、直ちに寂滅を楽って、大菩提を成就せんとするは、菩薩の真証である。

地獄、餓鬼、畜生等の悪趣に強く根を下ろす者は、煩悩成就の凡夫である。五欲の根のはびこるままでは浄土には到り得ない。生死の海に碇を下ろしたままでは船は進まない。足は自力の荒縄で縛られ、手は疑惑の鎖でいましめられていては、彼岸に行歩（ぎょうほ）することは出来ない。かかる衆生も名号六字の利剣によって迷路を智断されることによって、彼岸への大菩提心を成就されるのである。大菩提心こそは涅槃寂滅に通う心である。

智断

名号の智断によって、そこに成就するものは信心の智慧である。「願力不思議の信心は　大菩提心なりければ　天地にみてる悪鬼神　みなことごとくおそるなり」と言われ「智慧の念仏うることは　法蔵願力のなせるなり」と嘆ぜられる所以である。

信心の智慧は如来の絶対価値に開かれたる眼であると共に、煩悩を煩悩と深信する眼である。されば聖人は「煩悩具足の凡夫・火宅無常の世界は万の事みなもてそらごと・たわごと・真実あること無きに、ただ念仏のみぞまことにて在（おわ）します」と告白せられた。これ如来寂滅の世界を楽うと共に、火宅無常の世界、煩悩具足の現実を遠離して、そのそらごとたわごとを信知せる智慧の世界の開顕である。

信心の浄慧なくしては、十悪、五逆、謗法、闡提の重病難治の現実を知ることは出来ない。これを知らずしては如来の願意を領解することは出来ない。随ってそこには、真の念仏三昧の世界は成就しない。故に念仏三昧の人は、五逆謗法の機を深信自覚することによって念仏の尊高を領受するのである。

誠に我如来に生きるに非ず、如来来たって摂取し、その智慧光によって衆生の疑惑を智断したもうのである。寂照の光、静かに念仏と共に訪れたもうのである。

一向専念

「阿難、時に彼の比丘、其の仏の所・諸天・魔梵・龍神八部・大衆の中に於て　斯の弘誓を発し、此の願を建て已りて、一向専志に妙土を荘厳す」（島地一―一三、西二六、東二六）

貪欲は永遠に天地万物と対立し、一切衆生と水油相抽象しておる。然るに一切を一如に寂滅せしむる如来の本願は、一切と具体全一なるが故に、いささかの対立なく、諸天善神はもちろん、大魔王に至るまでその本願開顕の梵筵に集会して、菩薩を守護讃嘆すると共に、その法を聴聞してやがて大菩提を得んとするのである。誠に貪欲我慢の前には菩薩善知識までが敵となるであろう。大慈悲の前には大魔王までその眷族となるであろう。

「此の願を建て已りて、一向専志に妙土を荘厳す」

法蔵菩薩は、不可思議兆載永劫において、菩薩の無量の徳行を積植するに「一向専志」を以て一貫せられるのである。

憶うに、衆生貪欲の心は、念々に変化し、千々に砕けて、一心一向たり得ざるものであり、建立常然を得ざるものである。

然るに浄土の教えにおいては、特に一心の相続を以て最重要視せられる。天親(てんじん)菩薩は、「世尊我一心」と告白せられ、曇鸞(どんらん)大師は、不如実の信心を挙げて、信心不淳(ふじゅん)、信心不一、信心不相続の三不信を説かれ、善導大師は「一心専念、弥陀名号」と衆生往生の正定業は一心専念の念仏行にあることを教えたまい、我が聖人は「真実の一心」と言い、「金剛の真心」と名づけられた。これ皆、終始一貫相続の一心一行を示されたものである。法蔵菩薩にあっては、「一向専志」と言われ、行者にあっては「一心専念」又は「一心一向」と言われる。我等はここにも願と信との不二一体を領解せしめられる。美しい心、それは純粋持続されることによってのみ意味を持つのである。真実は必ず一貫する。

菩提心

人皆に楽しむ所がある。その楽しむ所に人はその全力を傾倒する。されば人格価値の相違は、その楽う(ねが)所のものの価値によって決定する。釈尊以下親鸞聖人の偉大さは唯一絶対の大行に全我を捧げて生きられたが故である。

曇鸞大師は、信心即ち菩提心を、「願作仏心」なりと言い、「度衆生心」なりと釈して、自身住持の楽を求めざる心と明示された。唯一最高なる如来本願に全我を投托して生きることは、本仏の願意を領解するが故に、利己的な楽を求める心を捨てて、自ら仏たらんとする「願作仏心」と、一切衆生を仏たらしめんとする「度衆生心」との渾然一体なる菩提心に生かされることである。

而してかかる信心は到底煩悩の発起するものではなく、最高、最勝なる如来の本願より回向せられるものなるが故に、称仏六字の衆生は、願生浄土のままが荘厳浄土の行者となるのである。

我等は多くの目的を人生に持ってはならぬ。唯一絶対なる大行に生かされることを以て出世の本懐としなければならない。

「一向専志」とは法蔵菩薩の本願を語るものではある。しかし法蔵の本願を語る語なるが故に、我等は念仏行の上に、この金剛の真心を領解するのである。

先にも述ぶるが如く、三毒煩悩は、歴縁対境によって、刹那刹那に千変万化して一心一向たり得ないものである。然るに一心専念の念仏行を執持し得るのは、全く如来願心の然らしむるが為である。

念仏行に一心一向たり得たる時、我等は特に法蔵の弘誓を身を以て体観するものでもある。その時、十方恒沙の諸仏如来の護念証誠は、衆生をして大菩提において不退転を得せしめたもうことを知るのである。

「声聞或は菩薩　能く聖心(しょうしん)を究むる莫し（略）如来の智慧海は　深広にして涯底(がいたい)無し
　二乗の測る所に非ず　唯(ただ)仏のみ独(ひとり)明了(みょうりょう)せり」（島地一―四四、西四七、東五〇）

如来の智慧海を測り知ることは出来ない。

而して衆生の清浄願往生心は微細ではある。しかし底なき聖心の泉は、我等の現実に流れ出でたもうてある。謹みて精進し、この聖なるみ心に生かされる幸を感謝すべきである。

五　普賢の徳に

南無阿弥陀仏が至純絶対な大行であり、道であり、無上命法である限り、南無阿弥陀仏は人格的生命であり、その全体である。

南無阿弥陀仏は大乗である。

大乗であるが故に、一切衆生の全てが救われるのであるが、しかし同時に万人ことごとくが、これをぬきにしては、真に人格の尊高の発揮は不可能であるということである。救われぬと言うことである。

誰も彼も賢くなろうとする。確かに賢くならなくてはならないが、しかし、その多くは「特賢」であって「普賢」でない。南無阿弥陀仏の大行は「普賢」の徳の成就である。大乗とは普賢の徳の発揮である。

聖人が行巻において、

「大悲の願船に乗じて　光明の広海に浮びぬれば　至徳の風静に　衆禍の波転ず　即ち無明の闇を破し　速に無量光明土に到りて　大般涅槃を証し　普賢之徳に遵ふなり　知る可し」

（島地一二―三九、西一八九、東一九二）

と。

大般涅槃を証すること、即ち成仏することは、やがて普賢の徳を発揮することである。それは浄土に至って後のことではないかと言うならば、大変な間違いである。蓼は二葉の間から辛い。彼岸において完成せられる道を現在から着手するのである。されば、龍樹も天親も、乃至、源空、親鸞両聖人も、皆、普賢の徳に生きぬいた方である。

普賢菩薩は、諸仏を敬礼し、称讃し、業障を懺悔し、功徳に随喜し、仏道を学び、やがて衆生に随順し、共に広大なる仏道に生きようとする。上求菩提下化衆生の菩提心である。真に普賢の徳に生きるものは、自ら普賢の徳に生きたと自惚れはしないが、普賢の徳に生きた人を拝む。人の上にそれを拝む人である。

「安楽無量の大菩薩　一生補処にいたるなり
　普賢の徳に帰してこそ　穢国にかならず化するなれ」
（島地一一—一五、西五五九、東四八〇）

この御和讃にあらわれた、還来穢国の相は大悲の相であり、又同時に念仏に生きた聖人の相である。我が前に立ちたもう善知識の相である。

普賢と特賢。一個人が持っている何ものかを主張せんとする我執は、その人を小乗の独覚にしてしまう。一個人の成せることは大きいようでも小さいものである。一個人の歩みの上に、普遍広大なる仏の全てが生きた時、光芒よく幾百千年の後までも衆生を動かすのである。

多くの人は、いよいよ重患の床に臥するや、我慢、我欲、横暴、混乱、毒舌、等々の醜状のみを暴露して、何ものもなくなるものである。私は又しても念仏の大往生をとげた父を憶う。いよいよ脳症が重くなって、たわごと、うわごとのみ出る時に当たって、ただ念仏と読経のみになってしまったのであった。細胞の一つ一つまでが念仏に薫習して、出る息も入る息も大行そのものであった。あの尊厳厳粛な病室を忘れることが出来ない。

無産陣営の闘士Mさんは、一夜私に「階級的人格の完成」を絶叫して聞かせた。彼と夜を徹して語りつつ、その真摯な、真剣な生活態度と求道ぶりには全く一本まいってしまった。大乗的人格の完成を忘れてしまった宗教の陣営を思う。そして千万無量の感慨を禁ずることが出来ない。

大乗的人格の完成！　そのことをぬきにしての宗教運動はあり得ない。我が全戦線の同志よ！　大乗的人格の完成だ！　金剛不壊（ふえ）の信力だ！　鋼鉄の如き実践力だ！　熔岩流の如き信義だ！　春のような暖かさだ！

個我の主張を葬って、普賢の行願に生きるのだ！

龍樹菩薩は、菩薩求道途上において二つの堕ちる坑（あな）があると言った。二乗と、地獄とがそれである。しかも地獄には、一度堕ちても救われるが、二乗に堕ちれば「菩薩の死」であると言われたが、この教戒の誡に真実であることを日に日に痛感せしめられる。二乗とは、菩薩道、即ち普賢の徳を遠ざかれるものである。

独覚（縁覚）の世界ほど世に恐るべきはない。彼は個人の世界に立て籠って出でないものである。全てを知ったと自惚れて、求道心を失えるものである。己れより賢いもののいない人である。三世を貫く大道をそれて、殻に入ってしまった人である。彼にはとても強力な大鉄槌が下らぬ限り、聞くことも、知ることも、彼の我慢の壁の上塗り以外にはならぬであろう。地獄の人を正道に誘うよりも至難であり、絶望である。而して真の合掌念仏、懺悔業障等をぬきにして「話」を聞かせば必ず菩薩に似た独覚が出来る。

暴力圧制、権力独裁の英雄主義も、遊蕩破倫、自暴自棄の享楽主義も、悪差別、保守主義の利己的個人主義も、悪平等の破壊、反逆主義も、全ては、我（が）の発展せるものである。大乗は無我である。我の否定である。其処に中道が生まれる。

念仏の中に、智慧光の大否定によって、それらの呪うべき悪魔の本拠をくつがえさるべきである。

Kよ。御地の聖戦、大乗陣の再建は誠に至難であることを信ずる。だがそれだけ、張り合いがあり、闘争の意味があるではないか。卑劣なる嫉妬、宗派心、優越感、排他、陥穽（かんせい）等々から生まれ出たデマの嵐が吹きまくろうと、その中に、大行のタンクを悠々とおし進むべきである。そこに禁物は、謙譲に似た卑怯と、精進に似た区々たる策謀と、平和に似た妥協と、他力に似た無力と、金剛力に似た我執等である。

真に六字によって生きる友を一人つくれ。一人出来たらまた一人つくれ。鋼鉄の杭一本、また一本、それに結ばれた太い綱が、全国の同志と結ばれる。

反動無明の嵐、おそるべからず。強力一貫の歩みなきをおそるべし。大乗の腹、合掌念仏の一道、他の何ものをもってしても人に接する勿れよ。

「乃公出でずんば」(注)という言葉は、普通気取った者の稚気を嘲笑する侮蔑の言葉とされている。誠に、俺ほど賢い者はない、己れのやっていることだけは正しい、俺が出なければ、と言った式の自惚（うぬぼ）れや気取りは、笑うべき噴飯事（ふんぱんじ）であるに違いない。しかしそれは「乃公出でずんば」の悪い方面のことである。「ただこの事一つに生きる」という自信のない処には生活はあり得ない。この意味でなれば、必ず誰でも「乃公出でずんば」であり、なければならない。

Mさんは「千万人と雖も我行かん」だと言った。それがなければ一貫の生活はあり得ない。

聖者も世の毀誉褒貶を超えて歩み、悪逆もまた世の風評などに耳をかさぬと言う。悪の顔、皮の千枚張、悪度胸決してほむべきでない。敏感なること、温度計の如く、しかも一道を歩みきらねばならぬ処に道の意義がある。

我をして素純ならしめたまえ。しかも我をして強者たらしめたまえ。

『探玄記』に普賢を解釈して曰く「徳、法界に周きを普と言い、至順、善を調うを賢という」と。

「徳、法界に周きもの」とは仏のことである。仏は普遍広大なる真如法身を体とするが故である、涅槃に住するが故である。而してこの涅槃の血液、念仏衆生の上に、菩提心即ち信心となれば、衆生も亦、広大なる徳に生きるのである。されば、源信僧都は『往生要集』に作願門を説くに当たって、

「凡そ浄土に往生せんと欲わば、要ず須く菩提心を発すを源となすべし。如何が菩提なる。乃ち是れ無上仏道の名なり。もし心を発し仏と作らんと欲せん者は、此の心広大にして法界に周遍し、此の心長遠にして未来際を尽くす。此の心普く備って二乗の障を離れ、若し

（注）乃公（だいこう）：おれさま、わがはい。目上の者が目下の者に対していう自称。

一たび此の心を発せば、無始生死の有輪を傾けん」（島地一二―八九、西二六〇、東二四七）と。

何という雄大なる文字であろう。「此の心広大にして法界に周遍し、此の心長遠にして未来際を尽くす」とは普賢の徳を説かれたものである。されば我等は、如来回向の大信心において、普賢の徳を受領して正定聚の人となるのである。

「至順、善を調うを賢という」

善を作すも、それが少善根である限り、浄土へは通じない。又もし善を作すも、我を根底とする限り、調ってはいない。調っていないならば、却って自他を損うのである。普遍広大なる大行こそは、至順なる大善であって、よく一切の善に生命をふきこみ、一切の善を調うのである。人格統一はただ大行によってのみ可能なのである。

白隠であったか、寺の前の家に住む娘が子供を産んで、それを白隠の子であると誣（し）いた時、その子を懐にして乳をもらいに歩いたとのことである。世の愚なる人の中には、誠に白隠の子であるように思ったり、彼を罵ったり疑ったりした者もあったであろう。或いはそれには何か理由のあることだと、あくまで白隠を信じた人もあったであろう。しかしその行為はやがて、妊（はら）ませた若者を悔悟せしめずにはおかなかった。私たちは白隠の上に尊い徳と至順調善の歩みを拝まずにはいられない。

時には、唯の一言が、その人の人格的不統一を暴露してあまりある場合がある。

時には、何も言わぬ沈黙がその人格の尊高を表す時がある。

六　欲

私はこれまでとても多くの人とお会いした。そしてとても多くの人とお別れした。これからもまた、多くの人に会うことであろう。そしてお浄土まで一緒に歩むことの出来る人は少ないであろう。二年三年と一緒に暮らした人さえ、今はどこにいるのかよくわからなくなる。

人は何故に離れなければならないのであろうか。一つ心になりきって生きたいという悲痛な願いを持ちつつも、分裂して別れてゆかなくてはならない。それは一体何がその原因であるのか。

人と人とが真に融け合うということは容易なことではない。重ねて言う、人と人とが真に融けて一となるということは容易なことではない。

人は好きな人と愛し合った時は一つになったように思う。また利害が一致した場合にも一つになったように思う。しかし人間の愛、それは二本の生木に油を注いで火をつけたようなものである。燃えている時だけは一つのようであっても、油がつきて炎が消えると、二本の生木がくすぶって別々に横たわっているのに過ぎない。利害が一致した時、意見が合った時、一つになったようでも、一度利害相反すれば仇敵にさえなってしまう。

　子供が小さい時、その母の愛は神の如くにさえ輝く。そして子供はただ無条件にその懐に抱かれる。しかし子供が成長しても親子の間は完全に一つであるか。親子の間の瞋恨（うらみ）は時に世のいかなる苦悩よりも、人にとっての最大悲惨事となる。

　親子、夫婦、兄弟の間は何故に一つにならないか。人は何故に怨み悪（にく）まなくてはならないか。

　私は家庭悲劇の訴えをあまりにも聞きすぎる。

　人間は欲心の塊であると言われる。確かにそうである。睡眠欲、食欲、財欲、名利欲、色欲、この五欲こそ人間のすべてであるかの如くである。人間がこの五欲のみによって動く限り、過去も欲、現在も欲、しかして未来もまた欲、欲を満たさんとして三世を貫くに、我慢をもってするかぎり、人間は誰とも一つになる事はできない。人は一つになりたいと願いつつ、ついに一つになることができないのは、ただ我欲、貪欲がものを言うが故である。

　この欲の塊である人間が真に一つになることは極めて困難なことである。

愛は憎しみをはらみ、欲は我利主義となって争闘（たたかい）をともなう。貪欲は時に瞋恚（しんに）の炎と変わり、愚痴の黒煙となる。親は子を呪い、子は親を悪(にく)む。家庭苦の大部分は愛憎の問題である。分裂して戦えば戦うほど苦痛が増す。苦しみが増すが故に、この苦痛を出でんとして、更に相手の仕打ちを指摘して善悪を裁き、より深き分裂へと陥ってゆく。しかして、そこには最後まで愛憎と利害がものを言う。

誰かを怨む時、人は必ず味方を求める。悪しみに加勢し、情を同じうする人と、一つになったように考える。しかしそれは浮雲のようにはかないものである。決して深い生命の本源において一致融合したものではない。

かくして我等は「一つになりたい」との願いを持ちながら、この衷心の願いの満足はついに与えられないのであろうか。世には「いずれ人間が一つになれるものか」と言う人がある。もしそうであるならば我等はもはや、人生における真剣な生き方のすべてを捨てなければならなくなる。生きることは何等の意味を持たなくなる。

しかし我等はここに、幸いにも愛憎を超え、欲を超えての第三の世界のあることを念仏を通して知らせて頂いた。『大無量寿経』のみ教えを通して、如来招喚の勅命に聞き、その信心海の広大さがわかりはじめた時、「同一に念仏して別の道無きが故に、遠く通ずるに夫れ四海之内皆兄弟と為すなり」（島地一二―一二〇、西三一〇、東二八二）との曇鸞(どんらん)大師のみ言葉や、『阿弥陀経』の「諸上善人　倶会一処」（島地三―四、西一二四、東一二九）の文字が、空文でないことがわかって来る。同一の教えに生き、同一の行を行じ、同一の信を呼吸し、同一の理想の彼岸に歩ませて頂く時、我等は初めて、ここに、全く欲中心の世界とは違った、如来大信心の世界において、人は初めて一つになり得ることを知らしめられる。

人間は欲の塊である。しかし欲心を持ちつつ、彼岸の清浄真実なる如来大悲の招喚の声を聞くことが恵まれてあった。

貪欲は汚い。汚いが故に、貪瞋(とんじん)煩悩中に、清浄なる大信心を成就せんとしたもう如来は、清浄光仏となりたもうのである。清浄光仏は衆生の貪欲を退治し、転成して、大善大功徳を衆生の上に成就せんとしたもう如来の光明の相である。清浄光仏の光に照らされて、貪欲は懺悔(さんげ)の色に染むのである。そこに自己を他のすべてに融かす、新しい道が開ける。

釈尊のみ教えは、我等の欲心の上に、徹底的な否定の大鉄槌を下される。しかしそこに二つの生活相が示される。

一は捨家棄欲と、欲そのものを捨てる生き方であり、一は在家止住のままに、欲を超える生き方である。

釈尊は一切のものを捨てたもうた。王位を、宮殿を、美妃を、愛児を、その他の一切を。これ正しく捨家棄欲の道をたどられたのである。

これは何の為であろうか。憶うに釈尊にあっては、かくの如くなしたまわずば、一切衆生は救われないであろう。一切を棄てて無一物となり、しかも、そこに、「無一物中無尽蔵」の安心境を示したまわずば、一切衆生は、欲心をそのままに肯定して、欲心の満足に囚われて、道を知らぬであろう。

人間は欲の塊である。であるが故に大部分の人は欲心に使われて、一生を空費する。しかしそれでありつつ、欲心は決してその人に歓喜を与えないで、時に人を死地につれこみ、火炎の中に追いやる。欲心より外に人を堕落せしめる何ものもない。仏陀の大悲はそこに注がれてある。欲心こそ悪魔のつけ入る唯一の穴であり、その巣である。釈尊はまず、この欲心と共に、欲心の対象のすべてを捨てて、大道を成就したもうたのである。

ああ、欲心、汝の胸中に動く。何故ぞ無明の深く、欲心の執拗なる。一欲去って更に二、三、四……、汝はついに欲心の塊ではないか。享楽に非ずんば蓄財、財物に非ずんば名利、名利に非ずんば愛欲、得々然たるもこれが為である。悲観絶望するもこれが為である。刻々底なき苦しみに沈むを知るも、この心去らず。ますます己れを包んで世間を飾る。

『菜根譚』に曰く、

「利を好む者は、道義の外に逸出す。その害顕れ、しかして浅し。

名を好む者は、道義の中に竄入す。その害隠れ、しかして深し」

利欲を好む者は、最初より人の履むべき道義を無視して、仁義道徳の外に逸出するから、その悪事害毒は世間に顕れて人も注意するから害毒も浅いが、名誉を求むる者は、常に仁義道徳の中に竄入って、表に道を立てて内に悪事をはらむが故に、世間に隠れて人も注意しないが故に、その害毒も甚大である、と言うのである。凡夫の正体、その肺腑をついて余すなしである。

欲心許すべからず。しかも凡夫は欲心の塊である。我等は如何にして救われるのであるか。

「悲しき哉、愚禿鸞　愛欲の広海に沈没し　名利の大山に迷惑して　定聚之数に入ることを喜ばず　真証之証に近づくことを快まず　恥づ可し傷む可し矣」

（島地一二一—九三、西二六六、東二五二）

念仏道は、愛欲名利の欲心さながらの中に開く。

欲心を棄てて開く道に非ず。欲心をそのままに肯定して開く道に非ず。

捨家棄欲と、家を棄て財を捨てるも、内心に動く名利愛欲を如何にせん。如来の清浄光は、名号となり、本願力となって、欲心そのものにはたらき、欲心を欲心と信知せしめることによって、欲心さながらに、絶対聖化したもう道である。愛欲そのものの中に咲きたもう念仏清浄の華である。

されば念仏道は、家を捨て妻子を棄てるに非ず。家に名利に執着して、欲をもって生命とするにも非ず。欲にいつつも、欲を欲と知るが故に、欲よりも尊き如来の真実によって現実の無限の暗黒を照破せられて、如来本願大悲を領解するのである。

人間は欲心の塊ではある。しかし欲心からは何らの尊いものも生まれはしない。法然、親鸞両聖人をはじめとして、一切の聖者にも欲はあったのだ。しかしその全人格の上に動く仏心、南無阿弥陀仏の中から尊き人格を顕現したのである。仏心は大慈悲であり、光明であり、大善であり、大功徳であり、道であり、願力である。されば、信仰は理想を追うて歩む道ではなくて、久遠の大理想の実現である。

人と人とが一つに融け合うことは容易なことではない。しかし我らは念仏世界においてのみ、それが成就することを知った。

しかしそれは「私は貴方とも、貴方とも、心がとけて一つになった」といったような、浮いた総花式な好感情ではない。人間は依然として独生独死、独去独来の寂しい運命ではある。我を好む人もあれば、我を嫌い悪む人もある。しかし我を好む人に好むが故に盲目にならず、悪(にく)むからとて悪みきられず、大悲の御心は怨親平等(おんしんびょうどう)である。本願の前には善悪浄穢はない。その大悲の御心がわかる時、念仏することより外に、他人との間の愛の成就も、同心一体もあり得ない。たとえ万人好意を持って来るとも念仏申すべきであり、万人去るとも念仏すべきである。念仏は、我の城壁をこえて、如来の大悲に乗じて、万人にとけてゆく世界である。万人の出かたによって変わる世界ではない。

如来と衆生とを一にする親縁が、如来の本願の実現より外にないように、教主聖人と我等の間も、また真実の教えより外に、何ら一つになるつながりはあり得ない。

私は近頃、私の言うことも書くことも読んでも見ず聞いてもくれずして攻撃し悪む人と共に、三年たっても五年たっても聖人の教えを共に歩まず、求めず、聞かぬ人の私に対する尊敬が、泡のようなつまらぬことであることを、深く感ずる。私を愛するなら、私の前に一時間も二時間も坐っていないで、どうか私を一人でおらせて下さい。

七　釈迦魂と提婆魂

提婆達多

釈尊の周囲には常に仏敵提婆(だいば)がついていました。これは面白いことだと思います。

提婆達多(だいばだった)は斛飯王(コクボン)の子でありまして、阿難尊者の兄であり、釈尊には従弟にあたる人であります。出家して仏のお弟子となりまして、身に三十相（仏は三十二相）を得、六万の法蔵を誦し得たと言いますから優れた才のあった人と見えます。しかし利養の心が強く、敵愾心(てきがいしん)が強かったと見えます。他の尊者たちが神通を得ているのに、彼はどうしても得ることが出来ません。そこで世尊に教えを乞いましたが、逆悪をおこす風が見えますので、三学を勧められて、神通の法を教えられません。そこで去って、憍陳如、乃至五百の上座について教えを乞いましたが、仏のみ心を知っているので教えません。そこで十力迦葉波に詣り教えを乞いました。彼は仏の聖意を知らないので神通の法を教えたと言います。『出曜経』には、彼の弟、阿難尊者について教えを受けたと出ております。悪逆の心を持つものには人が遠慮します。遠ざけられるから更に反逆心を増長する提婆の心を理解することが出来ます。

彼は調達と言い、又は天熱とよばれます。なぜ天熱というかと言えば、彼が生まれる時、諸天は彼が後に三逆罪を行うて仏教を破壊することを知って心悩み、熱を生じたというのであります。彼はすでに生まれながらにして逆悪の存在だったようであります。

悉多太子十二歳の時、五百の童子たちが各々、自己の園内で遊んでいました。時に群雁が天高く飛行しました。提婆は弓をもってその一雁を射止めましたが、矢を受けた雁は太子の園に落ちて来ました。太子は矢をぬいてその傷を治療してやりました。提婆はそれを求めましたが太子は与えられません。これが怨みを買った最初であったとも言われます。

彼は三逆罪を行える者として有名であります。一つには和合僧を破りました。和合僧を破るとは仏の教団の和合を破ることであります。高慢なる彼は仏弟子をそそのかし、仏の威光にならい反逆して五百の弟子を得ました。ところが、その弟子たちをとりもどされてしまったので悪心を起こして大石を抛って、仏足より血を流しました。これ五逆中の出仏身血であります。第三には華色比丘尼がこれを見て彼を叱りましたので拳を以て尼を殺しました。これが即ち殺阿羅漢であります。以上の破和合僧、出仏身血、殺阿羅漢を三逆というのであります。彼は更に悪心を起こし毒を爪中に入れ仏を礼拝する時、仏を傷つけんとしましたが、未だ到らざるに大地が自然に破裂して地獄に堕ちたと伝えられます。

その外、仏の本生譚を読みますと、釈尊が鹿である時は提婆は獅子と言った具合に、常につきまとうように書かれてあります。

釈迦魂

キリストにはユダがおり、釈尊には提婆と、必ず悪逆の人が聖者にだってついていたようであります。

静かに私どもの心を内観致します時に、釈尊の聖なるみ心にひかれて、菩薩魂に生きようとする願があると共に、人を呪い、人を悪み、害心を起こして一歩も人にひけを取るまいとする提婆の心を持っていることを知ります。釈尊の心は万人を我が子と見、我が兄弟と見て、一切衆生の幸福のためには、一切を布施し、遂には命すら捧げて行こうとする態度であります。『大無量寿経』には、「我無量劫に於て　大施主と為りて　普く諸の貧苦を済はずば　誓ひて正覚を成ぜじ」（島地一―二二、西二四、東二五）と誓われ、或いは又「不可思議兆載永劫に於て菩薩の無量の徳行を積植し　欲覚・瞋覚・害覚を生ぜず　欲想・瞋想・害想を起さず……忍力成就して衆苦を計せず　少欲知足にして染・恚・痴無く　三昧常寂にして智慧無碍なり」（島地一―二四、西二六、東二七）とあります。仏の心は静かな智慧に覚めており、貪欲の心や瞋恚の心や、人をやっつけてやろうとする害心などがありません。ただ大慈悲に生きて、一切衆生を済おうとする心であります。されば釈尊には憎むべき敵とてもなく、捨つべき衆生とてはありません。智慧によりて真如法性を覚了し、慈悲によって一切衆生を利益しようとするのが釈迦魂であります。

提婆魂

提婆魂の根底は無明であります。そしてそれはやがて、貪欲の心となります。地位を名誉を物質を異性を貪ろうとする心であります。もしこの一つでもが他によって虐げられ禍いせられたと見るや、たちまち真っ赤に血相変えて瞋恚の炎に燃え上がり、復讐せずにはおかないという害想を起こします。而してそれが決して悪いことではなくて、当然のことだと考えます。提婆魂の特徴は、如何に悪逆を行うても、その時には自分は決して悪人ではないことであります。

勝利

我々がこの提婆魂でいっぱいになっている時には、勝利とは相手を腹の癒えるほどやっつけてやることであります。しかしそれが真の勝利でありましょうか。

釈迦魂は悪逆の刃を少しも恐れぬ心でありますが、しかし相手を害する心を勝利とは考えない、ふまれてもたたかれても起って正しい道を歩みきろうとする、精進の忍従の心であります。もっとも弱虫が胸に愚痴をいっぱい抱きつつも、弱虫なるが故に、震うて手出しをようしないのとは違います。真に強いが故に、道に生きるが故に、大愛が動くが故に害せないのでありま す。釈尊の前生物語には、時には餓えた虎に体を食わせた話すらあります。

提婆の心は一人の幸福のために、万人を殺すも厭わぬ心であり、釈尊の大悲は、万人のためには己れ一人を殺すも厭わぬ心であります。

泥と蓮華

提婆の中から釈尊が誕生します。しかし釈尊の中から提婆は生まれません。

よく仏のことを蓮華に譬えるのは、仏は煩悩の泥から生まれて、煩悩にそまらぬからであります。泥から蓮華が出ても泥に自慢は出来ないように、悪逆提婆の中から釈尊が現われても、悪逆をほめるわけには行きません。

提婆は釈尊から血を流し、阿羅漢を殺すことが出来ました。それのように、凶悪の手は時に罪なき善良を虐げることも出来、殺すことも出来ます。しかしそれだからとて、釈尊の尊さには指一本加えることが出来ず、その徳を寸毫も傷つけることは出来ません。

凶悪な提婆魂はそれ自体が破滅でありますが、釈迦魂は永遠であります。一人の釈迦魂の把持者は斃(たお)されても、きっと継承者が出て来ます。これは古来の歴史がはっきりと証明しています。生命を継ぐとはこの永遠なる魂を我の上に発見することであります。一人の法然上人、一人の親鸞聖人を流罪にすることによって念仏の火は消えません。一人の松蔭先生を殺し、一人の山陽先生が死んでも維新の大業を妨げることが出来なかったように。

恐るべきもの

私どもは凡夫であります。凡夫は悪逆なる提婆魂のおしよせることを恐れます。しかしそれが真に恐るべきものでありましょうか。釈尊は提婆によって光こそ増せ、決して一物をも失っていません。せめよせる提婆こそよい試練であります。提婆によって滅ぶものであったならば、ほんとうのものではなかったはずです。キリストはユダによって十字架にかかり、日蓮は法難によって佐渡に流されましたが、どちらもそれによって滅ぶかわりに、それによって、永遠なるものをいよいよ発揮しました。と言って提婆をほめるわけにはいきませんが、如何なる悪逆によっても亡ばないのが釈迦魂であることがわかれば結構です。

恐るべきは提婆ではなくて、自分の中に何ものもないことであります。信念の人が強いのは、この意味がはっきりわかっていて、自分が永遠不滅の大道と一体であることを信ずるからであります。

提婆魂に立った時、大きな声をはりあげ、暴力を振るい、権力をたのみ、相手を何かの意味でたおそうとします。こうした勝利の後には、必ず底なき悲哀と、無価値なる寂しさのみが残ります。後悔と自暴自棄は提婆につきまとう影であります。彼が地獄におちるのも当然であります。

釈迦魂は内に真実に根ざす充実を持ちつづけて、外にこの提婆魂による苦悩を超克しつつ、常に戦いなき世界への歩みをつづけます。釈迦魂は過去に愚痴をもたず、未来に不安を抱かず、善による福を求める心をすて、真理に対する求道合掌に生き、ただ大法が蹂躙（ふみにじ）られる時には生命をすてても戦ってゆきます。

自己の生命よりも大法を尊びます。人は人であるが故に尊いのでなくて、それが尊きものにつながるが故に尊いのであります。釈迦魂につきものは生きることのよろこびと水火も辞せぬ力とであります。

提婆の成仏

『法華経』第五巻に提婆達多品というのがあります。この中には有名な、八歳の龍王の女が文殊菩薩の化導（けどう）によって、南方無垢（むく）世界に到って、宝蓮華に坐して仏陀となり三十二相、八十種好（しゅごう）の相を具し、諸の衆生に妙法を演説することが説いてあります。この経では女人でも子供でも、畜生でも一如平等に仏陀たり得ることを説かれたのでありますが、この品（ほん）の初めに釈尊はこんなことを物語っておられます。

自分は過去に於て世の国王と生まれたが、真理を求めて肉身の快楽をかえりみず、鐘をついて四方に告げた。

「真理を持っている者は誰であるか。もし自分のために教えを説いてくれるならば、身を奴僕（しもべ）にして仕えるであろう」

時に阿私（あし）仙人が叫んで言うには、

「私は微妙な教えを持っている。それは世に稀なものであるが、もし能く修行すれば、汝のために私はそれを説くであろう」と。

そこで私はこの仙人の言葉に従い、直ちに彼に随順して、果実草果(きのみくさのみ)をとり、心に妙なる真理を求めつつ彼を恭敬した。私はいささかの懈怠(けだい)をも感ずることなく、その教えを受けて遂に仏陀となったのである。

「汝等よ、その時の王とは、私のことである。又その阿私仙人とは、即ち提婆達多のことである。私は提婆によって仏陀となった。自分が無上正覚を成就して仏陀となり、広く生類を教化するのは提婆の善い導きによるのである。提婆は我が善知識である。

汝等よ、提婆は今三逆罪によって地獄にあるも、今後多くの時を過ぎて仏陀となり、号を天王と言い、世界を大道と言う。天王仏は久しく世にあって広く微妙(みみょう)の法を説かれるが、無量の生類は心の自由を得、覚りの心をおこし、真実道を求めて聖位に上るであろう」

と説かれてあります。

この説法こそ誠に釈尊魂の顕現ではありますまいか。

少なくとも提婆に対する三つの見方があります。

一、提婆は悪(にく)むべき敵である。

二、提婆は気の毒な哀れな奴である。

三、提婆は我が善知識である。

一の如く考えるのを凡夫のおこす提婆魂とすれば、二は自分を独善的に高く買った二乗の人の心であり、三は一切を尊重する菩薩魂即ち釈迦魂でなければならない。生きている草木にとっては、寒い冬の日も、暑い夏の日も、なくてならぬ大切な縁である。仏に悪逆をのみ行う提婆をよき善知識と感じ、やがて大道世界の天王如来になる記別（きべつ）を与えられた釈尊のみ心の広さを思わないではいられません。

念仏の世界で

大地の上は永遠に釈迦魂と提婆魂のもつれであります。提婆魂からの一切の刺激を受け取らないで生きることは出来ません。外からのそれを受け取りつつ如何に生きるかが残された問題であります。況んや我々自身が提婆魂の持ち主であることを知った時、我等は先ず私の内なる悪逆心をどうするかが一大問題であります。

聖人が愚禿と言われたのは、この提婆魂を仏心によって見つめられたからではありますまいか、念仏の心は我等の上に君臨する釈迦魂ではありますまいか。如来心が悪逆心に火づいた時、そこに救いが成就されます。

提婆が成仏出来るように、如何なる煩悩も救われねばなりません。絶対他力の念仏の中で、この一切の問題が解決するのではありますまいか。

第四章　浄土真実の宗教

聖人は教えを求め、教えを聞き、光を求め、救いを求めた人であった。
「人間を救う宗教」こそ『大無量寿経』の中に見出された信仰である。
真実の教えによって与えられたものは、ただ念仏一つであった。
念仏とは苦悩に灯された燃え上がる炎であり、光である。

一　親鸞教の概要

本願他力

尊高なる理想を追い、深い哲理を究めた人はある。だがそんな人は多く人生の実相、大地の人間としての心の声を忘れる。人間の凡情に流れてゆく人は、とかく高い理想を忘れる。

しかるに、広大にして幽玄なる仏教、その大乗仏教の示す崇高い理想を追うて、単なる眼だけでなく、耳だけでなく、頭だけでなく、全身全霊をもって、しかも絶対に大地に生きる人間としての心の声をゴマ化さず、飽くまで一切衆生の苦悩を代表して、血みどろの求道過程を通して、ついに不滅の信境に到達した人がある。聖親鸞がそれである。高き久遠の大理想は、低き大地の愚禿の合掌の上に生きた。即ち南無阿弥陀仏の他力本願の世界がそれである。以下その信境について述べる。

他力本願

親鸞聖人の宗教は、いわゆる他力本願の宗教である。他力とは、人間小我のはからいが、聖なる如来大我によって打ち壊れて、人格全体がいわゆる仏凡一体の世界において、絶対清浄真実なる如来によって生かされることである。

しかるに世に他力本願の文字ほどまちがって使われているものはない。世の常識者流は他力をもって無力の意味となし、相対者が絶対者に依頼して己れは何事をもなすことのないのが他力であると考えている。まちがいもまた甚だしい。春来たって桜の花は開く。彼は独立自尊己れの色に咲くといえども、これ即ち他力である。春が来なければ絶対に咲くことは出来ない。太陽、空気、水、栄養等々の他力によって彼は、自らの色に咲き得たのである。彼には一毫(いちごう)も自力を許されない。天地自然の母は桜花の上に生き、桜花は彼の色に咲いて自然普遍の母の懐に復帰(かえ)ろうとする。彼生きて、自然の母は荘厳され、自然の親が生きて桜が生きる。彼此一体の天地これを他力というのである。これは単なる一つの譬えであるが。

他力とは相対者が絶対者に生かされることである。尽十方無碍光にして無量寿、生死を超えたる絶対平等なる大生命たる如来が生きて、衆生が生かされる。衆生、本願の大道に生きて、如来の至純なる生命を全うずる。この仏凡一体の聖域、我にあっては金剛不壊の信といい、仏にあっては本願力という。金剛の本願力、衆生に顕現して大信仏性となる。これをのみ他力という。門外漢の誤解はまだしも、いわゆる他力真宗の門徒と称する僧俗においてすら、この他力を得手勝手に領解して、本能我の赤裸々をもって他力に生きるものとなし、あるいは死後の浄土にのみかたよりて、浄土ならぬ欲楽に、人間的享楽の延長を求めて、無上正真道の獲得を忘れる。

聖曇鸞（どんらん）『往生論註』に曰く、

「夫れ菩薩の仏（ぶつ）に帰するは、孝子の父母（ぶも）に帰し、忠臣の君后に帰して、動静己に非ず、出没必ず由あるが如し　恩を知りて徳を報ず、理宜しく先づ啓すべし」

（島地一二―四九、西二〇二、東二〇三）

と。

もし例を忠臣蔵にとれば、浅野内匠頭長矩（あさのたくみのかみながのり）の無念は、そのまま大石内蔵助（くらのすけ）の無念である。浅野公の意志は、そのまま大石の意志である。心を千々に砕き、身を如何なる苦悩に横たえようとも、君臣一体の恩義を忘れることは出来ない。しかるに奥野将監、大野九郎兵衛等は、身は千石取りの大身でありつつも、財を集めて一身の安楽を求めて逃亡した。大石の動静出没には、その一挙手一投足にまで、君臣一体の魂が生きており、大野およびその同類は、己れの小我的享楽以外には何ものもあり得ない。大石はじめ四十七士の歩む世界が他力であり、大野の輩の生きた世界が自力である。

人は悉くこの意味の他力でなくてはならない。すでに前編において述べた如く、自力小我の迷妄は、ただ個人的享楽以外に一歩も出でない。菩薩道はこれからは生まれない。普遍平等の如来の本願に生きる者、これを菩薩道という。菩薩道は他力である。他力とは如来の本願力これである。

悪人正機

聖人の信境を悪人正機の世界という。『歎異抄』に曰く、

「善人なほもて往生を遂ぐ、いはんや悪人をや　しかるを世の人つねに曰く『悪人なほ往生す、いかにいはんや善人をや』と　この条一旦その謂（いわれ）あるに似たれども本願他力の意趣に背けり」

（島地二三―二、西八三三、東六二七）

と。

如来の大慈悲は、善人よりも悪人に重く、善人も助けられるけれども、悪人こそ必ず助かるというのである。これ実に宗教の真髄の光閃である。悪の奨励でもなく、人間の放縦性の讃美でもない。自然の浄土の内奥に秘められたる如来大悲の真相である。如何なる奈落のどん底に悩む悪人をも更生せしめる大愛、全人類の前に掲げられたる永遠の真理である。

一切の迷いを断ずる剃刀であり、

一切の煩悩を焼きつくす聖火であり、
一切の氷を解かす熱であり、
一切を本質的に生かす真実である。

ただ心すべきは、剃刀も火も、真実も、これを弄んではならないことと、これを拒んではならないことである。如何に多くの人が、これを拒んで無明苦悩の巷に輪廻し、如何に多くの人がこれを弄んで、身をあやまったことであろう。

医者は重患に重きをおき、教師は不良児、虚弱児にこそ愛を注ぐべきである。悪人をこそ抱きあげずにはおれない大慈悲こそ、人生生活の基調となるべきものである。倫理を超えたる愛の本質について語り、如何なる者をも更生せしめんとする宗教である。悪人正機の大慈悲を説かれることは当然である。

愚禿

誠に悪人正機の世界こそは、親鸞聖人によって体験せられたる、宗教の最高峰であった。この悪人正機の大慈悲にふれて、見出されたる我こそ「愚禿」であった。愚禿とは如来に救われて大地に生きる者の名告(なの)りである。

親鸞聖人は、飽くまで大地に生きる一切衆生に同(どう)じて、いわゆる聖道門を捨てて自ら肉食妻帯を敢行してその内的運命を我が運命となし、一切衆生の悩みを我が悩みとなし、その罪障を一身に荷負して地獄一定を諦観し、ついに全人的自覚に於て愚禿と名告られたのである。

愚禿とは一切衆生を代表して、如来に救われたる者の名字(みょうじ)である。

愚禿とは更に非僧非俗の意味であった。親鸞聖人は九歳にして出家された。人生を逃れたのである。即ち俗の世界を去った非俗である。だが叡山二十年の求道はついにいわゆる僧の世界を去って、再び人生に逃れて念仏に帰した。

多く人は、人生にいつつも、常に人生を逃れんとしてかえって人生にくくられ、苦しめられる。

聖人は、人生に逃れて、人生を超越したのである。僧に非ざる人生の俗界に還って、そこに仏と会うことが出来たのである。この非僧非俗こそ、愚禿である。だから見よ。その内心には「名利の大山に迷惑する」ことを歎きつつも、そこに求められた何の名利があったか、財欲があったか、権勢があったか。紫衣金襴(しえきんらん)をかなぐりすて、金殿玉楼をさけ、俗塵に自己を没しおわって、時に史家をして実在の人であったことすら疑わしめるもの、この黒衣の聖者、愚禿の真面目であった。実に黒衣こそ、非僧非俗の愚禿の象徴である。

宗教生活

彼岸

浄土は物を超えて彼岸に実在する仏の国である。久遠の大理想の成就されたる帰依の対象である。浄土はすでに彼岸である。現実の世界を超絶せる、絶対価値の世界である。涅槃といい、滅度といい、法性といい、法身という。時間、空間を超えて、それ自体独立せる絶対真理そのものを体とする、常住、大楽（だいらく）、大我、清浄を内容とせる浄土である。これ聖人が「『仏』は則ち是れ不可思議光如来なり『土』は亦是れ無量光明土なり」と説かれし真仏土である。

真仏土は人間の常識を超えたる人生の彼岸である。単なる無自覚の生存ならいざ知らず、これなくしては真実生活はあり得ないという、生活者の必然の帰依の対象である。されば人間の知識、常識的分別を超越せるものであると共に、自覚者の帰依の心行に内在して、人生生活の真実の根底となるものである。

即ち浄土は現実を超越するが故に、よく現実に内在するのである。浄土は理想の彼岸なるが故に、人生の指導原理である。

されば、如来はこの彼岸に一切衆生を招喚して、迷妄なる人間生活を全否定しつつ、それを通して如来の真実を全肯定し、限りなく彼自身を回向顕現して、一切衆生を彼の内眷属たらしめ、そこに大菩薩道の野を開顕せんとするのである。

私の著し方はあまりに難解であったかも知れない。だが、浄土とは、人生生活の彼岸であって、現実の指導原理であることがはっきりすれば満足である。

御同朋御同行

理想の彼岸に実在する尽十方無碍光如来は、一切衆生の親である。ただ一切衆生の親である。されば、釈尊は、まず不死不滅の法身に同じて、自ら久遠実成の釈迦仏を名告って、その平等の大慈悲を顕して「一切衆生は我が子」なることを宣言したもうた。しかるに聖人は、自ら、暗よりぬけ出でたる衆生相において、この如来平等の大慈悲に合掌帰命して、如来の子たることを宣言し、如来平等の大慈悲に応じて、一切衆生は悉く御同朋、御同行なることを信じ、生活し、実践されたのである。しかり聖人にあっては、一切衆生は如来による兄弟であった。これ即ち人生生活の基調である。人間の上に人間もなく、人間の下に人間はない。共に同心に、聖なる如来の同朋として絶対尊重さるべきものである。我らはこの信境において、人生を見返さなくてはならない。

報謝の生活

「如来大悲の恩徳は　身を粉にしても報ずべし
　師主知識の恩徳も　ほねをくだきても謝すべし」（和讃）
（島地一一─三六、西六一〇、東五〇五）

如来に生きる者の生活は、その内奥より動き出でる本願自然の力に乗托して、不断の感謝と懺悔に色どられつつ、自己の全我を捧げて、いわゆる報謝の大行に生きるのである。

報謝の生活とは、甲の恩に対して、乙が返報をして、それで事おわるとすることではない。限りなく恩恵を享受しつつ、自己自身の相に輝くことである。

春が来れば桜が咲く。桜は彼自身の色に咲いて、普遍平等なる自然の母の懐に還ろうとする。彼は唯、彼が自然のままに、その個性のままに咲くことによってのみ、自然の母の懐に還ることが許される。

「あれを見よ深山の奥に花ぞ咲く　まごころつくせ人知れずとも」（古歌）

けれども我らは、桜花爛漫たる相の上に、大自然の美しさを讃嘆し、その神秘を賞讃する。桜が生きる前に大自然が生きたのである。

大自然は普遍であり、平等であり、絶対である。

桜は、個性を持ち、差別相であり、相対である。

平等生きて特殊輝き、特殊輝きて平等を顕す。

平等なる大自然の母なくして、特殊の個性をもつ桜の美しさはなく、特殊の個性いよいよ花の上に輝かなければ、大自然の母は顕れない。

彼は此によって生かされ、此は彼によって顕さる。

彼此一体なるところに、桜の報謝の生活がある。

一念に如来の生命の全体を得るが故に、大満足があり、生きても生きても、働いても働いても、これでいいということがない所に報謝がある。

報謝とは、普遍の如来に還ってゆく「往相の生活」そのものである。

誰か、桜に、春一度咲く花より外に、孝行を求めようか。

聖人の南無阿弥陀仏、信一元の生活に論理と実際がここにある。

慈悲も念仏にて足り、孝道も念仏にて足り、師道も念仏にて足る。


彼岸にあっては如来といい、現実にあっては菩薩という。如来あっての菩薩である。菩薩あっての如来である。如来は彼岸にあって菩薩を招喚し、菩薩は生死界にあって如来を顕す。一この如来と、この菩薩、一体に貫流する血潮こそ「法」である。仏、法、僧の三宝という。一体にして三、三にして一、仏の具体的意味がここにある。三宝に対する絶対帰依を通して、彼岸の如来に還ってゆく、この信こそ、生活の最初にして最後である。ああ、純粋真実なくして何の生活ぞや。

二　合掌

合掌と宗教

手を合わせて拝むということは宗教のみが持つ特別な世界であります。そうして人間のみが持ち得る姿であります。

合掌礼拝は、宗教生活における一つの形式でありますが、体の上に合掌の相が現われるに先だって、その精神生活においてすでに、合掌の心がなくてはなりません。この合掌の心こそ、宗教において欠くことの出来ない心境であります。合掌が心の問題だからとて、姿の上に合掌のないことは許さるべきではありません。姿として表れないような心の相を考えることが出来ないからであります。

もし合掌と不退の求道心とがなくなった時、すでにそこには、如実の宗教生活はないと言ってもいいと思います。合掌は、聖なるものに仕える態度であり、真理を受領する一番正しい相であります。極言すれば、合掌のない人には宗教はないと言って差支えありません。合掌のない所に宗教的真理は相を表さないからであります。

曇鸞大師は『浄土論註』の中で「『帰命は即ち是れ礼拝なり』と　然るに礼拝は但是れ恭敬にして必ずしも帰命ならず　帰命は必ず是れ礼拝なり　若し此を以て推するに、帰命を重しと為す」（島地一二―一七、西一五六、東一六八）と申されましたが、「帰命を重しと為す」とは、帰命すなわち「信」が根本であることを言われたのであります。「帰命は必ずこれ礼拝であって、礼拝必ずしも帰命ではない」とは、礼拝に対する深い批判のメスが光っております。

「帰命尽十方無碍光如来」でも南無阿弥陀仏でも、お名号には必ず帰命または南無がついています。南無帰命は、仏の救済意志であると共に、衆生の大信心であります。阿弥陀仏とは、たくする法であり力であります。したがって、阿弥陀仏をはなれて南無の機（信）はなく、南無の信をはなれては阿弥陀仏は無意味であります。南無阿弥陀仏とは、仏の全体であると共に、助かる我の全体であります。

南無は帰命であり、帰命は礼拝であります。であるから阿弥陀仏の生きます所、必ず礼拝合掌ありということが出来ます。言いかえると、合掌なき所、如来はましまさぬのであります。

自覚と合掌（一）

合掌は如来を真に信知した相であると共に、自己を知る者の相であります。酔うことによって成り立つ宗教があります。迷うことによって生まれる迷信もあります。だが仏教は、一切の酔いからさめ、一切の迷いから出で、自己を凝視め自己を知る者の上にのみ受け取ることの出来るみ教えであります。

華やかな議論もいい、はっきりとした概念の骨格も必要、高い理想もいい。だが現実の我を忘れた時、一切は、浅間しい戯論であります。遊び事であります。

如来の大悲に摂取されてのみ凡夫であります。凡夫とは内観されたる我であります。地獄一定の愚禿は如来の智慧光によってのみ誕生するのであります。我等は愚禿と聞く時、大地に合掌せる聖人を思います。愚禿とは如来に合掌せる者の名であります。自己を知り自己にさめたる自覚者の姿であります。

自覚と合掌（二）

賢いと思っている者が、必ずしも賢いのではありません。ギリシャの大哲ソクラテスは、自己を愚か者と信じていたと言います。愚禿の愚はおろかな者との自覚であり、禿とは悪人の名であります。

愚→賢→愚、初めの愚は習うべき愚ではありません。愚を愚とも知らない子供の愚であります。学ばず、求めず、考えず、知らざる愚であります。愚を自覚する時、学ばずにはいられません。求め、考え、知り、習い、そうして賢くならねばなりませんが、大賢は愚に似たりと言います。賢から更に愚に至る、はじめてそこに不滅の道が生まれているのではありますまいか。愚痴の法然房にしても、愚禿親鸞にしても、汲めどもつきぬ泉でありながら、愚の自覚に生きられました。その愚は大蔵経を五度繙いた後に、叡山二十年の修道を了えた後の愚でありました。

「打破八識　　（八識を打破して
始称丈夫　　始めて丈夫と称すべし
莫認小智　　小智を認むることなかれ
順至大愚」　　順って大愚に至れ）
（滴水禅師）

聖人様たちは大愚であったのであります。「丈夫」と称することすら出来ない大愚だったのであります。我等は決して聖者を真似てはなりません。卑下慢はおそるべき偽善であります。けれどもまた虚仮（こけ）賢善にとどまってはならない。ただ聞くことによって、求めることによって、愚を体験すべきであります。現代はあまりに賢い人の集まれる時であります。賢者の世界は狭い。

知れども知れども法は如来のものであります。一知れば十の深さを持ち、十わかれば、千万の奥行をもってあらわれるのが法の相であります。法の深さは、人生の深さであり、如来の広大さであり、法界の神秘の不可思議であります。そこにのみ愚の自覚は生まれるのであります。

合掌は愚者のとれる相であります。

懺悔と合掌

罪悪なくしては生きられぬ者の最後に到達する世界は懺悔であります。しかして合掌は懺悔の象徴であります。後悔は穴にむかって入るような暗さと行き詰まりであるに対して、懺悔は丸裸になって救われた者の心境であります。

如何なる恐ろしい過去を持つ悪逆も、一度、その心にとりまける固い殻を打ち破られて、如来大信心、仏性の清水が噴出する時、如何なる因果の鉄鎖もこれを縛ることの出来ぬ、広大なる大海原に出されます。懺悔の天地がそれであります。懺悔は信の必然的な内容であります。そうして懺悔はただ如来によってのみ可能であります。聖人は「如来の回向をたのまでは無慚無愧にてはてぞせん」（島地一一—四〇、西六一八、東五〇九）と讃嘆せられました。如何なることも平気で出来、何をしても心がとがめないのは、心が腐っているのであります。「畜生とは無慚無愧」であります。聖人の懺悔の深さは、廃悪修善の自力に絶望し、如来の大悲によって救われてゆかれました。しかして、聖人は懺悔の最深処をえぐって「無慚無愧」と告白せられました。

これ如来による魂の深い内観でなくてはなりません。唯おそれても猶おそるべきは、聖人の「無慚無愧のこの身にて　まことの心はなけれども……」（島地一一―四〇、西六一七、東五〇九）の告白を浅薄に自己の上にひきよせて、荒涼たる罪悪生活の言いわけにしたり、我をつのって、強そうに生きる我慢無自覚な我と同等に見たり、考えたりすることであります。真実に如来にあう者は、そんな所には腰かけていられぬでありましょう。如来を失える者は自己をも失います。如来と自己とを失える者が、古い殻を弄んだり、型に固執したりしている処には、ただ嫌な我慢が振る舞われているばかりであります。時にこうした我慢な鬼が、純真な求道者に高座から得々として大法を説いていることであります。滑稽よりもむしろ悲惨であります。この相即ち私の相であります。慚愧、慚愧。唯、限りなく如来の前に合掌あるのみであります。大乗菩薩道の強さと、我慢の強さとはあまりにもよく似ていて、しかもこれほどの違いも亦ありません。

合掌は実にありのままの自己を知る慚愧の象徴であります。

価値と合掌

二千円のダイヤモンドが姿をくらますと、青くなって警察に訴えたり、神様に行方を聞いたり、係わり合いを調べたりするに違いありません。だが米粒一つが無くなった時には問題にもしません。これが凡夫であります。凡夫はものの皮相的価値、市場の相場より外に問題にしないのであります。旦那は座布団を敷いても、小作人や下女には敷かせないのが、道徳だ位に考えたり、大臣はえらいが老婆には値打ちなしと考えるのは、この皮相価値しか見ない凡夫の世界の生活であります。印度に四姓を造って下層と名づけられる人種をおさえて横暴をしたり、日本にも少数同胞をつくって賤視して来たりしたのは、皆この差別に囚われた、あやまった観念から来たのであります。

米一粒の重さ須弥山より重し。仏は、ダイヤモンドを尊ぶと同じ心で、米一粒を尊ばれました。それはもの皆の中に絶対価値を見とどけられたからであります。釈尊にとっては、神の意志によって生まれたと称する婆羅門種の人も、奴隷階級として虐げられて来た首陀羅種の人も同価値でありました。而してそれは抗争の中に主張されたのではなくて、合掌の中に体得されたのでありました。

絶対価値を見とどけて一回の食事すら頂戴する仏の心の片鱗でもが全国に徹底すれば、汽車の中のあの汚さはなくなるでありましょう。人と人との争いも少なくなることでありましょう。人格の冒瀆（ぼうとく）は一切にみなぎる絶対価値の見失われていることよりおこるのではありますまいか。無意味なる階級をつくって威張る世界は、釈尊のみ心、仏のみ旨（むね）に逆らった生活であります。

仏こそ、親こそ、師こそ

親鸞聖人は『入出二門偈』において、

「云何が礼拝する、身業に礼したまひき。
阿弥陀仏正遍知、
諸の群生を善巧方便して、
安楽国に生ずる意を為さしめたまふが故に」
（島地一五一—二、西五四六、東四六二）

と言われました。礼拝門は五念門の第一であります。衆生の上に成就さるべきこの五念門を、如来の成就したまいし行とせられました。如来こそ礼拝せられるのであります。群生をしてお浄土に願生する意をおこさしめたもう善巧方便に、如来こそ身業に礼したもうのであります。礼拝するは仏であり、高慢なのは凡夫であります。この如来の合掌の大悲こそ、そのまま我等の上に「願生安楽国」を成就するものであります。

これを思います時、合掌すべきは子よりも前に親であります。弟子よりも先に師匠であり、教師であります。否、合掌の人こそ真実の仏であり、親であり、教師であります。全ての合掌求道の同行こそ、私の真の善知識であります。これは常に壇上に立つ私の実感であり、確信であります。

合掌の親こそ、子供の中から合掌の心を生む親であり、合掌の師こそ、善知識こそ、私の中から合掌を引き出して下さるお方であります。荒涼たる高慢がどうして真に人を教育することが出来ましょう。

報謝の生活と合掌

如実の合掌は、微塵も祈願請求（もとめごころ）を持たない心であります。如来の生命の全てを頂いて生きる心であります。春の恵みを頂いて咲いた花の如く、如来の大生命に統融されて生きる生活には、小さい我欲より割出された部分的なものを、乞い求める心を持ちません。ですから断（た）えず、お恵みの全体を頂きつつ、限りなく全体を生かしきって生きてゆきます。かかる生活の全体が報謝の生活であります。花の咲く相（そう）の一切がそのまま報謝の全体であります。何時も自分の全体をなげ出して生きてゆきます。こうした報謝の生活は合掌によって象徴されます。御恩に生きる心は、無条件に自分を捧げきって生きてゆく生き方であります。全てのものに最後に与えられるたった一つの生き方は、自己自身を献供して生きる報謝合掌の生活であります。そうしてそれは人格をして真に独立自尊のよろこびに輝かしめる生活であります。

求道と合掌

近頃の若い僧侶方は、古い僧侶の方と大分生き方が違って来たようであります。求道の相においてのそれであります。宗派や、格式や、体面や、小さな自負心に囚われて、合掌して求めることを恥のように考えていた世界を出で、一切を超えて真に大法の前に合掌して、求めて行こうとする人々の増したことであります。それは喜ばしいことであります。合掌のない所に求道はありません。求道のない所に合掌はありません。かの『華厳経』の善財童子は、合掌して五十三人の善知識に会って道を聞きつつ遂に普賢の徳に帰して法界に入ります。南無阿弥陀仏を通して味わう時、善財童子の足跡こそ、そのまま法蔵菩薩の足跡であります。飽くことなき真理への思慕、それは合掌の旅であります。そこにのみ菩薩の願心を見ることが出来ます。

かくして合掌は救われた者の相(そう)であります。

三　創造生活の条件

矛盾と統一

水と波

海に、断えず波が打っているように、人生そのものにも、不断に小波大波の休むことのないのはもちろんであります。もし風さえなかったならば、海は鏡の如く、静かでありましょう。しかしもし、三百六十五日、海が鏡の如く、静かで変化がないならば、海は何という殺風景なものでありましょう。油を流したような春の海の夕日も美しいが、怒濤狂乱、冬の日に岩壁に砕ける荒磯もまた、棄て得ない壮絶美であります。この男性美、彼の女性美、いずれも、風によっておこされる趣であります。すでに風あるが故であります。

我等の住む、社会もまた一つの海であります。宇宙もまた海であります。この海に風がなければ、この天地宇宙、社会人生もまた、殺風景な所となるでありましょう。而してこの風とは何でありましょうか。一緒に『大乗起信論』を拝読しましょう。

「一切心識の相は、即ち是れ無明の相にして、本覚と一に非ず異に非ず、是れ壊すべきに非ず、壊すべからざるに非ず。海水と波と一に非ず異に非ず。波は風に因って動ず。水性の動ずるに非ず。若し風、止む時は、波動は即ち滅するも、水性の滅するに非ざるが如し。衆生も亦爾り。自性清浄の心、無明の風動によって、識の波浪を起す。是の如きの三事皆形相無く、一に非ず異に非ず。然も性浄心は、これ動識の本なり。無明滅する時は、動識は随って滅するも、智性は壊せず」

読んだだけではおわかりにならない方もあるかも存じませんが、大海の波は風によっておこる。人生の波も心識の波も、無明の風によっておこることだけはわかったと思います。大海の本性は水である。宇宙の本性は真如である。真如の海水に無明の風がふきすさぶ所に、あらゆる現象の波がおこるのであります。大海に波がおきても、水性に変わりはなく、生滅の波がおきても真如の本性に変わりはありません。風あるが故に動いて波を生じ、無明あるが故に動いて生滅の現象界を出現し、心識の作用をまきおこすのであります。

仏と凡夫

仏陀は、真如（法身）を覚って、仏陀となり、凡夫は、生滅、無明の波を喰って、生死界に溺惑するのであります。生死界にあって疑い惑うが故に、その生活が死んでくるのであります。

真如に増減なく、生滅なく、無常なく、罪汚（けがれ）なく、もとより動乱のあろうはずがありません。如何に暴風吹き荒んで、八寒冷氷、万物を煩悩無明の凍結の中に苦悩せしめようとも、或いはまた一切衆生が、弱肉強食、等活地獄の屍山血河（しざんけっか）、五逆十悪、阿鼻叫喚の大地獄を出現して火焔天を焦がそうと、真如法性の本性の寂静に変わりはありません。それはあたかも、大洋に幾丈の大波がおころうと、水の本性に生滅のないのと同じであります。

以上は仏教教学の根本に横たわる仏陀の自証の風光であります。随って仏教である以上、この根本的な智の世界を無視しては、何派も、何宗もあり得ないのであります。

如来は、この真如の本性、絶対の寂静を体観し、自証して、寂静の都に大寂定に住するものであり、凡夫は、無明の波に翻弄せられて、この真如の本性に通達し、覚了し、安住せざるものであります。

動静一如

天地も宇宙も、社会も人生も、我も人も、皆転（まわ）るコマであります。無始無終に回るコマであります。永遠に無明の風に動転してやむことなき世界であります。随って人生においてはこの無明の動乱は永遠にやむことなきことを諦観すべきであります。もし、観念のおきかえ、自己改造、社会的施設等々によって、この波乱を休止することが出来ると考える者がいるならば、彼はその人生及び宇宙に対する認識に一大誤謬を持つものであります。

すでに人生は永遠に生滅動乱である。転廻するコマであると申しましたが、その全動のただ中にこそ、一つの静寂を見ることが出来ます。即ちいわゆる動静一如の境であります。動をはなれて静を求める者は山に人生を逃避しました。けれども深山幽谷にして猶、松の風、谷の音、心臓の鼓動を消すことが出来ましょうか。ましてや、心識の妄想の波を如何にしましょう。

絶対の静寂は、回るコマの中にのみ求めらるべきであります。無明の風、如何に生死大海の波を動乱せしむるとも、その真如の本性は寂静そのものであります。釈尊はこの生死の内奥に悟入して、遂に大寂定三昧を得証されたのであります。されば、仏教の真髄は、生死即涅槃、煩悩即菩提と説かれ、迷悟を一異不可得の中に談じ、仏と凡とを明確に分かちつつ、しかも仏凡一体を信証すべきことを教えるのであります。

苦楽

苦には楽を伴い、楽には苦を内含する。従って、無明相たる現実の中には大楽あることなく、苦楽共に苦であることを提唱されたのは釈尊でありました。現在、世界はいわゆる機械社会出現のために物質の生産過剰、失業者の激増をおこして大苦悩の中に立たされましたが、これは実に、蒸気機関と電力機関を発明したることに原因するのであります。汽車汽船、電灯、電話、電車等々に便利幸福を受けるかわりに、それと同時に、今日のこの苦悩は生みつけられていたのであります。誠に苦楽一如、生死海の当然の相であります。而して誰がワットによって蒸気機関が発見せられた時、今日を考えたものがありましょう。

矛盾と統一

ここにおいて、我等は考えなくてはなりません。世界は全て、何時でも、何処でも、矛盾であることを。而して、世界は全て、何時でも、何処でも、統一であり、調和であることを。何時でも矛盾であると共に、何時でも調和であり統一である。

親鸞聖人は、南無阿弥陀仏一元の信の世界に更生して「煩悩具足の凡夫・火宅無常の世界は万の事みなもてそらごと・たわごと・真実(まこと)あること無きに、ただ念仏のみぞまことにて在します」（島地二三一一三、西八五三、東六四〇）と告白せられました。「一切心識の相は、即ち是れ無明の相」なるが故に、もしは煩悩、もしは無常、ことごとくそらごとたわごととして全否定せらるべきであります。しかも真如法性の内奥より自然に発願回向せる如来の本願、南無阿弥陀仏の大行は、一切の矛盾を否定しつつ、しかも大行それ自身を全肯定してゆく、煩悩罪悪そのままを転じて功徳たらしめる円融なる絶対価値でありました。誠に如来は、永遠に、無為涅槃界に寂定しつつ、限りなく生死動乱の世界に神通応化(じんずうおうげ)して、その本願を名告(なの)るのであります。

この如来の自然の名告り、南無阿弥陀仏の招喚を聞く所、生死大海の波いよいよ荒涼たる時、ますます弘誓大船の寂静を体感するのであります。仏と凡夫は永遠に二にしてまた仏凡一体であります。

この信心の智慧の天地においてのみ、矛盾、統一をさまたげず、統一、矛盾を却(しりぞけ)ず、如何なる境遇に至ろうとも、よくその裏に、この統一調和に永遠微笑して、而して敢て人生の矛盾相を捨離しようとはしないのであります。荒屋(あばらや)は依然として荒屋にして、しかも中秋の明月に変わりなきこと、ここもまた瑠璃の御殿に異ならず。この信なければ金殿玉楼必ずしも安住所ではありません。

常識的な生き方をしている人間は、何か異常な不幸が見舞って来ますと、たちまち人生の矛盾に泣き憤って、その生きてゆく道を失い、自暴自棄に陥り、或いはただ逃避的態度をとって、いよいよ無明の惑いを深めてゆきます。これらは皆、その根本に大信を失っていて、如何なる矛盾相の中にも一大統一のあることが見出せないからであります。

であありますが、苦悩や不幸に出会えば悩み苦しむのが当然であります。決しておそれず、悩みぬくべきであります。苦しみぬいて遂に、その不幸の中に更生する時、如何なる苦悩も、矛盾も、その人を真に生かす尊い経験となるでありましょう。人生には矛盾のあるもの、而して決してその矛盾は全てとり除いて生きる天地があるのでなくして、矛盾それ自体の中にこそ、人生の意義も幸福も見出されてゆくことを体感すべきであります。何処に我を殺す矛盾があろう。ただ求むべきは、はっきりとした信心の智慧、正しき認識であります。

ただ一人息子を力とたのむ未亡人が、その息子の上に全力を注いで大学を卒業させ、卒業すると死んでしまったために、大悲観におち、遂にこれあるが故に、真人生に覚めて、新しい歓喜の生活に入った人がある。

目や、耳や、足や、手が不自由であるために世の光となり得た人、矛盾に泣いて後、信の世界に、新しき自己を創造した人はいくらもある。

世界は今や大きな矛盾相を表に現わしました。しかし決して悲しむべき何ものもない。これこそ天地の相である。やや大きい波でしかない。いよいよ、寂静の本源に寂定して、この大波を悠々と乗りきるべきであります。

超越

価値

前号においては「矛盾と統一」について語りました。矛盾がなければ統一もなく、統一のない矛盾もない。統一だけでは統一は無意味であるし、矛盾がなければ発展創造もあり得ないことを語っておきました。人生は矛盾だらけである。然もその中に、何時もはっきりとした統一がある。この矛盾と統一とを我においてはっきりつかんで生きる所に宗教があることを語っておきました。

本号では更にそれをもっと深めて申し上げたいと思います。

創造と言えば、人生生活に意味を発見することだとも言えます。即ち、美と言い、善と言い、真と言うも、これら、真善美等は、一つの立場から人生の価値を創造せんとするのであります。そして宗教は、それらよりももっと深いところにおいて、人生をつかみ、人生全体の価値を創造し、全体としての聖なる理想を成就せんとするものであります。

善悪摂取

親鸞聖人はしばしば「仏智不思議の前には、善悪浄穢による差別はない」ことを説いておられます。我々は理性的な要求、即ち善を求め、実践しようとするものであるのに、更にその善悪を超えよと教えておられるのは、一体何を意味するのであろうか。これは一面において、倫理と宗教とを分化せられるのであろう。けれども単に、道徳と宗教とは違うというような外面的なことではあり得ない。即ち「化身土巻」において、廃立、隠顕の両面より、倫理的宗教より純粋宗教への転入をこまやかに詳述されてあるが、ここにはそのことについては説く暇はありませんが、その心を述べてゆきます。

京都において、ある芸術家の一群が座談の席において、美について語っている時、甲の言く、

「近松はその浄瑠璃において、よく心中ものを扱ったが、彼は心中を美化したのだ。又ロダンは梅毒による鼻かげを彫刻したが、彼は鼻かげを美化したのだ」

と言ったのに対して、乙は論駁して、

「そうではない。近松は心中そのものに美を見たのである。ロダンは鼻かげを美化したのでなくて鼻かげの中に美を見たのである」

と言ったので甲は冑をぬいだそうであります。確かに面白い論であります。美は醜と対立し、醜は美と対立するところの美は、本能的な美であって芸術の美ではありません。あの人は美人だという時の美は醜と対立する美であって、結婚の時に言われる美でありますが、芸術家は、日本一の美男やミス日本のみを絵にしたり、彫刻したりするのではなくて、如何なる醜婦すら絵にします。孤影悄然として曠野に疲れた一老人すら美しい美であります。かかる美は、いわゆる、美醜を超えたる美であります。万物の差別相に即した、平等相の直感であり、その表現であります。即ち美醜を超えてのみ、ほんとうの美がわかるのであります。若き男女の心中の中に美があり、鼻かげそのものが美である所以であります。即ち芸術的創造は、美醜を超えることであらねばなりません。これ芸術が持つ宗教的態度であります。

　これを推して、聖人の善悪一如の世界を考えてゆきますと、善は悪に対立し、悪は善に相対

する世界では、真実の善はわかりません。善悪共に否定される所に、悪と対立しない絶対善が生かされるのであります。即ち、南無阿弥陀仏は「諸の善法を摂し、諸の徳本を具せり、極速円満す、真如一実の功徳宝海なり　故に大行と名く」（島地一二―六、西一四一、東一五七）とは、如来は円満成就されたる絶対善であることを述べられたのであります。この善悪を超えて、絶対善に生きる世界こそ宗教でなくてはなりません。即ち聖人が、和讃において、

「久遠劫よりこの世まで　あはれみましますしるしには
仏智不思議につけしめて　善悪・浄穢もなかりけり」
（島地一一―三九、西六一六、東五〇八）

と述べられたが如く、善悪、浄穢以前に、仏智不思議こそ生きなければならない。仏智不思議の生きる所、善、悪共に絶対善の内容としてそのままに生かされるのであります。而して南無阿弥陀仏が我に回向顕現した場合、これを大信心と言われますが、この大信そのものが仏智不思議より生まれるものである以上、信そのものが絶対善であります。この大信心と言われる絶対善こそ、善悪、浄穢一切を平等に摂取してそれぞれに生かしきるのであります。

型に入って型を出る

さて次には、芸術において直感されたる美の表現の形式についてであります。ある日私の子

供の六歳になるのが、お父様を描くのだとて、お月様のような丸い顔の中に眼鏡、髪等を入れ、手足を描いた無邪気な絵をもって来ました。如何にも、自然な純な絵であります。そこには何のこだわりも、はからいもありません。けれども、これが果たして芸術でありましょうか。如何に自然でもこれに万金を投ずる者はありません。それは一体何故であるか。ここに考えらるべきものがひそんでおります。幼児の絵はそこに型を持ちません。随って個性の光がなく、創造や深みを持っていないからであります。自然は自然でも盲目的自然であります。したがって一種の気まぐれであります。真実の芸術家は、必ず悲痛な精進努力を通しています。そこに一つの骨格、型をもちます。しかしその型だけがあり、筆の先の技巧だけがあって、潑剌たる生命の息吹きがない時には死んだ絵になります。ですから一度幼児の無智から進んで努力精進を通して、やがて、再び幼児の原始の心にかえる。即ち型に入って型を脱した場合に、生きた芸術が生まれて来るのであります。

かかる境地は一種の平凡でありますが、かかる平凡こそ実は真実の非凡であります。一本の線をひくにも、一個の陶器を造るにも、自由奔放な大胆さがあらわれていなければならない。しかもそれがちゃんと一つの体系骨格をもっている、かかる世界では、人の賞讃だとか、美だとか、醜だとか、気に入るとか、よいものを造ろうとか、そうしたはからいが入っていることを許しません。そうしたはからいを超えた時、その人の手によらなければ出来ない、世界中誰も造ることの出来ない、唯この人の個性によってのみ成就される独特のものが生まれて来るのであります。それが即ち美の創造であります。創造されてのみ芸術があります。進歩するためには模倣もいります、鑑賞することもいりますが、いざ純粋芸術の創造には、そうした一切を許されません。彼の全体を打ちつけて造るべきであります。彼より外に造り得ない個性そのものの光った自然のものが生まれていなければなりません。

このことは、書道にも、茶道にも、華道にも通用することであります、即ち型に入って型を超越することであります。

はからいを超えて

親鸞聖人ほど、強くはからいの生活をたどった方もありますまい。しかしその悲痛な努力は、遂に聖人をして一切のはからいを脱せしめたのであります。人間のはからいを超えて、至上善と自然(じねん)に法爾(ほうに)に一体になりきりたもうたことも、聖人をもって最上とします。

もし人間の善悪、賢愚、浄穢等の、善、賢、浄をもって、南無阿弥陀仏がはからわれる時、そこには、純全な宗教生活、否、人生生活はなくなります。即ち、絶対善たる南無阿弥陀仏を行ずる心に対する反省が必要であります。もしそこに寸毫でも人間のはからいがまじる時、如来の心は失われて、生々とした如来の絶対浄化はこばまれます。愚禿親鸞とは、愚者にかえり、悪人にかえって、自然のおんはからいに乗托しきったこころの告白であります。如来の前には善悪共に悪であり、賢愚共に愚である。そこには、人間の思議（はからい）が否定されて、ただ不思議のおんはからいが生きて来ます。模倣も、追従も、ごまかしも、賛成も、弁疏（いいわけ）も、全てが役立たない。かけひきのない人間、さながらの相の上に、聖なる如来の力が働いて、おちついた安心の中に、ありのままの人生を抱いたままで、その人自身の個性が光あらしめられるのであります。個性が輝けば輝くだけ普遍平等の如来の至上善が生きてゆくのであります。如来は涅槃であります。一如平等の涅槃が差別相の上に輝いて「青色青光、黄色黄光、赤色赤光、白色白光」と、差別のままが平等の光に輝く世界、即ち浄土を創造するのであります。でありますから聖人は、和讃に、

「本願円頓（えんとん）一乗は　逆悪摂すと信知して
　煩悩・菩提体無二と　すみやかにとくさとらしむ」
（島地一一一―一二六、西五八四、東四九二）

と述べられています。

本願円頓一乗とは、本願の名号は、円満に、頓速（すみやか）に、成就された大善であって、一切衆生が平等に乗せて渡される大乗（一乗）である。故に如何なる逆悪も摂取されると信ぜしめ、煩悩と菩提と体は二つ無いと、速やかに、一念に、大悟せしめられるのであります。至上絶対善は

一切を超えて、一切を生かしきるのであります。悪自体を直ちに善たらしめるのであります。かかる力を、いわゆる「荘厳浄土の本願」と言います。浄土を創造するものは、かくして、如来自然の力以外にはあり得ません。

信力

かかる荘厳浄土の本願に生きた世界を願生浄土、あるいは往生浄土と言います。そして往生浄土はただ金剛の信心によってのみ可能であります。金剛の信心こそは、善悪、賢愚、等々の対立やはからいを超えて、ただ本願の大道を生ききります。ただ善悪を超えるのみならず、如来の智慧光がその道を照らして、何に力を入れて生きてゆくべきか、何が迷妄であり何が真実であるか、我等如何に生くべきであるかを信知せしめ、不断に迷妄の自己を清算して無上正真道を生活せしめるのであります。

如来の本願力に乗托する者は、金剛の意志、熱き感情を失いません。智慧を底力とするこの情意が時に生命すらすてて真理に生ききらしめます。ただ善悪を超えるのみならず、苦楽、順逆一切を超えてゆきます。この信力なくしては一切は超えられず、一切を超えなければ信力は顕れません。如来なくして何の創造がありましょう。真理なくして何の創造がありましょう。その如来と一体なるところ、その人を通して如来は不断に、彼を顕現し、創造します。

一切衆生はこの如来本願の大道に帰して生くべきであります。

四　批判と領解

行者として

自分のことは棚にあげて、他人のことばかり鋭く批判するのが凡夫である。しかしその批判し非難している自分を批判しなくてはならない。そこに念仏行者の生活がある。私は他人や人生や宗教の批評家であるよりも先に、一個の人間として、行者として、静かに与えられた道を私自身の荷物を背負って行歩する宗教人でありたい。その私であってのみ私に対する批判や非難は、私への薬となる。

世には自立できない子供をつれた親や、悪い放蕩児を持った親がある。他人は傍観しながら、何とでも言っていられる。しかしその親はただ黙して受け取らねばならない。世を恥じ、心を痛めつつも、しかも、これを背負って歩むより外はない。重い荷物を背負って山坂を越えねばならぬ者には、ただ現前脚下を凝視(みつめ)て歩むことが許されるだけである。冷たき非難が何とひびくであろうか。世のすべての人はみな重き荷物を持った旅人である。

一道

教えそのものや、宗教そのものを解剖したり、分析したりする学問も必要であろう。しかしそれは私たちの分野の仕事ではない。私たちは親鸞聖人の教えを拝受し領解(りょうげ)して、仏弟子として忠実に歩みきることだけを使命とする。それが今の時代の賞讃を買うか、罵倒の的となるかは考えなくてもいいことである。したがって聖人のみ教えは私たちにとって絶対である。私たちは世のあらゆる苦悩や、様々な現実の問題を受け取りつつ、同時に発遣の教えの前に合掌して、念仏の一道を歩もうとする。

合掌して

『六方礼経(ろっぽうらいきょう)』には、人間が沙門道士に向かうべき態度を「善心をもってこれに向かえ。好き言を選んでともに語れ」と言い、「恭敬承事(くぎょうしょうじ)して、度世(どせ)のことを問うべし」とある。求道者の心すべきことである。

世には腕白小僧がいる。美しい花園の中に鎌を振り回せば、花はもろくも地におちるであろう。

ピストルや刃は犬や牛をたおすことが出来ると共に、釈尊や聖人をでもほろぼすことが出来る。善意なく好言なきピストルの前には、聖人もまた人間という弱き動物であろう。嫉妬、我執、怨恨、高慢等の鎌を磨いて正法の花園に入ってはならない。草花は鎌で切り得ても、正法は決して煩悩では斬れない。禍は必ず汝に還る。正法の園には一切の批判非難を超えて、沈黙合掌して入るべきである。

だが正法（しょうぼう）は最初からすぐ耳に入るものではない。疑い、はからい、批判の心が必ずおこる。しかし正法は必ず内省否定の力を持つ。求めてゆけば、いつしかに、病を治しつつ、ついに無条件に正法の前に合掌せしめる。正法は盲従することを嫌うと共に、反逆の児にはその真相をみせない。

領解

領解するとは、領は受け取ることであり、解は解決することである。受け取ることなくして解決はない。いかなる問題でも受け取ったならば、必ず何等かの形で解決する。信心とは如来のすべてを受け取ることである。十年二十年も寺参りしながら、いい加減なことでぶらぶらしているのは、如来の大慈悲を真剣になって領解しないが故である。如来を領解しないとは、同時に教えを領解しないことである。教法に合掌してこれを領解しないのは、教主の人格を領解しないのである。釈尊にでも親鸞聖人にでも、これに我をもって向かい、いつまでも批判の眼を向けており、教法に対立しているのでは、教主をも教法をも領解することは出来ない。

私たちに対する教法や、私を教え導いてくれる長者は、時に剣道を教えるよりも先に、水汲みや掃除や小使いにばかりにこき使う剣道師匠のように、故に冷たく鍛えるかも知れない。しかしその冷たさに怒って逃げて行ったのでは、長者の親切は永遠にわからない。

如来を領解するものは、自己を領解する。如来の鋭い智慧光をこばむ者は又、自己の真実の相を知ることをこばむ者である。我慢の強い者は、我慢の強いことをつかれることを嫌い、貪欲の深い人は、貪欲が深いとつかれて怒る。自己の相をそのまま領解することを拒むのである。しかるに念仏する心は、同時に静かに自己の相に帰ってゆこうとする相である。信心には懺悔がともなう。懺悔とは己れにかえる相である。

ある地方では、芸者買いしようが、放蕩に身を持とうが、これが「業だ」と言って責任を業にぬりつけ「そのどうにもならんのを、助けて貰うのだ」と言って、如来の超世の大慈悲をもそのまま、ずるい自己を許してかかる、言い訳に使っているようなところがある。かかる世界の人たちには、真の意味での如来の領解もなく、自己の領解もあり得ない。如来の智慧光なくしての自己の領解は難中の難であって、これより至難はないであろう。しかして自己の正しい領解なくしては、ついに本当の落ちつきも、歓びも、生活もあり得ない。

如来を領解し、自己を領解するものは、人生をもありのままに領解する。人生を受け取らないでなされる念仏は、真に人生の光や力とはならない。

特に人生における苦悩に対する態度こそは、その人の死活を決定する。父が苦悩の原因ならば、父に合掌して向かうべきであり、子供が苦悩の原因ならば、合掌の中に子供を領解すべきである。その他自己にふりかかる、あらゆる問題を合掌の中に受け取る時、念仏はありのままの中に輝きたもうであろう。釈尊、親鸞聖人は、人生のありのままの相を、ありのままに受け取られた方である。ありのままに受け取ることがそのまま生きる道を発見することである。

かくてすべての問題をありのままに領解する根本的態度こそ信心である。忍従や、精進や、懺悔や、歓喜や、感謝は、念仏生活にともなう一面の相である。

五　精進

「仮令身止　諸苦毒中
我行精進　忍終不悔」

仮令（たとい）身を諸の苦毒の中に止（お）くとも
我が行は精進にして　忍びて終に悔いざらん

（島地一―一一、西一三、東一三）

生きることは、苦悩なるが故に、今日もまた静かに、大悲の願心にひたりつつ、幾度かこの偈を拝誦し、やがて大心海を念ずるが故に、いつしかに生きることの歓びは我によみがえるのである。

「楽は苦の種、苦は楽の種」と言う。苦、必ずしも楽の種に非ず。楽を予想しての忍苦は真の忍苦ではない。

苦は何人も厭う所、我もまた自ら進んで苦を求めはしない。されど仏智は我に教えた。人生は永遠に苦悩であることを。

忍苦……忍苦……しかして忍苦、我が四十年の生活は、ただ忍苦の二字につきる。

ある時は宿命に泣いた。ある時は、白眼世をすねて、悲観厭世の底に沈んだ。

けれども、不平も、愚痴も、感傷も、涙も、逃避も、決して私を救ってはくれなかった。

三宝に対する絶対帰依の生活がその中に生まれた。

如来金剛の本願力のみが、私を救う唯一絶対の力であった。如来の本願以外に、苦悩の解決を求めてはならなかった。しかして忍苦こそは、大地における唯一の正しい生き方であった。

「いつまで続くぬかるみぞ……」、討匪行（とうひこう）の歌が聞こえる。

私はかつては、努力の末には必ず幸福が、精進の結果には必ず平安が来るものと信じ、そしてそれを求める心に苦しんだものである。

けれども、そうあるべき人生だと思う心が、更に深い悩みを生んだ。

真実の精進は、それ自身決して、幸福を予想するものではない。精進の代償がたとえ、より一層の苦悩であろうと、精進を続けねばならぬところに、精進の意味があるのであった。

私の一生は、ただぬかるみの連続なのだ。そう諦観する時、人生への随順がある。

親しい同胞たちが、ぬかるみの中でもがいている。静かにそれを憶う時、たまらなくなる。

だが、それらの同胞たちの友となれるのは、断えざる苦悩の中に立たされて来た恩恵である。

兄弟よ。忍苦に生きる姉妹よ。私は御身の上に生きますみ仏に合掌する。


精進には必ず、理想がある。彼岸があり、如来がある。

彼岸なく、理想なく、如来なき精進は無意味である。真の精進ではない。

精進には必ず、忍苦をともなう。精進なき忍苦は、忍苦ではなくして、安価な盲従であり、屈従であり、宿命観であり、無力であり、失敗であり、やがて不平や、悲観厭世やの母体である。忍苦なき精進は、真の精進ではなく、単なる欲望の動きである。我慢である。

菩薩が「我行精進、忍終不悔」と誓われたるゆえんである。精進には忍をともない、忍苦には精進をはらむ。精進によって、忍苦は真に忍苦となり、精進は忍苦と一体であって、精進たることが出来るのである。そこには、決して「悔」はあり得ない。

しかしながら、かかる精進はただ寂静の楽より人生に来生する菩薩の願心においてのみ可能である。

かかる精進と忍苦の一つなる天地においてのみ「我行」は成就するのである。行とは生活である。自利利他の生活である。菩薩行である。

我等は、念仏の天地において、ほのかに、菩薩のこの行信をうかがうものである。

我等は念仏を知らぬ日に、人生の勝利や歓喜は、人間的幸福にあると思った。そう思う限り、幸福になれば、得々として他のいかなる人をも顧みず、己れの幸福を持ち続けることに執着し、不幸逆境に出会えば、真っ暗くなって、悲観の底に沈んだであろう。

しかるに、そうした欲心は持ちつつも、衷心の願においては、人生の真意義は、忍苦精進の中にのみあり得ることを信知した。


忍苦精進は、大信心の中にのみ孕まれる。そして念仏に生きることが、無上道を志求することである限り、如来浄土の本願によってのみ念仏行者は生まれるのである。

本願念仏に生きる者は、如来浄土の眷族である。この浄土の眷族として更生したるものが、正定聚の人である。人生に如来の光を輝かしむるが故に、浄土ならぬ人生に生きつつも、浄土国中の人である。

人生が永遠に浄土ならぬ世界なるが故に、浄土は人生に顕現し、如来は人生に輝くのである。かくして我等は、如来の本願に生かされて、苦悩に充ちた人生の意味を発見することが出来、いよいよ忍苦精進の白道をふみしめて、徳を成就しようとするのである。

六　両足尊

永遠輪廻

我等は生死の海底に限りなき苦悩をつづけています。たとえ我等の世界に相対的な自由や開放や便利や満足が与えられても、第一義的意味において、大地は永遠に苦悩そのものでありま す。釈尊が説かれた「苦諦（くたい）」の文字や、親鸞聖人によって叫ばれた「生死の苦海ほとりなし」の宣言は、悲しいことながら、現在までに私の前で如何なる社会科学者も哲学者も一人だって壊してくれた人はありませんでした。

「何！　力と頼んだ子供が急死して人生が暗くなった……。何！　病気して体が不自由になって人生が暗い……。何！　生まれつき頭が悪くて勉強が出来ないので人生の落伍者になって泣いている！　そんなことは個人問題だ。社会の大局の問題じゃない。その人だけの問題だよ。だいたい社会の苦は富の生産関係及びその分配関係等によって左右されるんだよ。だからその土台の問題を棄てておいて個人問題などにかかわっているのは認識不足というものだ」

　富の問題の解決、社会組織の改造、それによって我等の世界に相対的自由や開放の生まれることを信じます。そしてそれは人類のなさねばならぬ重要な歴史的問題であります。しかし我等はこれによって第一義的な問題に対する解決を満足するまで与えられることが出来るでありましょうか。永劫の苦海である大地にそれだけで満足するでしょうか。障害者になったり、子に死なれて人生が味気なくなったり、頭が悪くて名誉欲の満足が出来なかったりする、そうしたことは個人問題にちがいない。しかしその個人問題が形こそ違え、万人に背負わされ、与えられているのではありますまいか。

　私どもはかれんな人間の生活の営みの中に、永劫輪廻（ようごうりんね）の相殺の悲劇や、地獄の相（そう）や餓鬼や畜生の相を見ないではいられません。闘争はさけられません。しかしそれは痛ましい非理想的な事実であることに変わりはありません。「みな永劫輪廻の苦海の事実なのだ！」、その仏陀の大悲のみ言葉を味わわないではいられません。一個人の苦悩が万人を代表し、一個人の罪悪が万人に通じ、一人の煩悶が世界を象徴することを思った時、我等は簡単にかたづけることができません。耳をかたむけ、心をよせて一切人の苦悩に同感する時、我等は何を求め、何を願い、何を欲するかを知らされます。そこに我等は「生命の絶対自由意志」の叫びと求めとを知る者であります。

先日もその昔親しかった私と同年輩の人の、自動車との衝突致死の報に接しました。たった十一月にはこの次にお出でを待っていますと言われた方の死の知らせを受けました。そして河内駅での汽車転覆のあの悲惨事が天下の耳目を震撼せしめました。

「死！」は我等のあらゆる営みに「無価値」の宣言を与えます。我等は「死なんて当然だよ。そんなことが俺たちの問題たり得るか」といい得らるる英雄？　とはあまりに遠くへだたって、深い関心を諸行無常の上に持たざるを得ないのであります。

けれどもまた、死するが故に人生の営みは全て虚無だといって懐疑の中に自殺するには、あまりに深い魂の願いの声を聞きはじめました。

我等はこの第一義の大問題に対して、明確な断定と、衷心の満足と、生の勝利と、ゆるぎなき安心と、血税を支払って生きるに足る価値の認識と、苦悩を超克する力とを与えられなければなりません。而して宗教が人類の本能的要求であったのは、こうした生命の願いのためでなければなりません。

如来が何であるかを考える前に、私は人間の宗教心について考えなければなりません。

昨年六月、私は大阪市に行って約半月を暮らしました。そうして大阪人の様々な様子を見聞しました。一日、人を待つために停留所に立っています一時間の間に、その側にあるお寺の境内に足を入れました。するとその本堂の前にある地蔵尊やお大師の祭ってある前に、来るわ来るわ、老人といわず、若者といわず、男といわず、女といわず、様々な階級の人たちが入れかわりたちかわり、来ては小さい蠟燭をたくさん立てて、呪文をとなえては拝んでゆきます。何か様々な願いがあることなのでしょう。あのにぎやかな千日前の寺でも多くの人たちが集まって現世祈禱のために祈ったりお籤をひいたり、大繁昌であります。

家を変わる時には方角を見てもらい、悪い方角に発って行くためには封じの祈禱をしてもらいます。病気平癒、家運隆盛のためには様々な神や仏をかつぎ出します。方角の善悪、日柄の吉凶、それを知らない者を愚者だとされてあります。台所をのぞけば大抵の家にカマドの神様が祭ってあります。こうした迷信に投ずるためには、新聞が運勢判断をのせます。驚いたのは私の買った博文館の当用日記すら、民間信仰吉凶暦をのせています。果たして人間は、一白水星二黒土星三碧木星……八白土星九紫火星と九通りのホシで運命が定まるのでしょうか。

我等はかかる考え方や信念を一言にして迷信だといいます。人間はかくまでも迷信なくしては生きられないのでしょうか。

然れば何故にかくの如く文明の極度にまで開発した都会に、迷信がかくまで生まれるのでしょうか。

私は先ず「教育がないため」と第一の理由をあげないではいられません。人は教育を受けない限り、いくら都会に住んでいたって、何時までも無智のままでいます。百万、二百万と集まってただ毎日を奮闘している人たちには、村落や町や、小都市に比較して教養を受ける機会が極めて少ないのであります。田舎では寺院の説教や種々なる教育機関、会合の機会等がありますが、大都会にはそれがないといってよい。もし出席するとしてもそれはごく少数の篤志家であります。

導かれない大衆たちは、勝手に神や仏の霊験あらたかなりと聞くにまかせて、稲荷にお大師に観音様に馳せ集まって銘々の願いを満足させようとします。

迷信は、水気のある所に草がはえ、栄養のある所、そこにバクテリアが発生するように、人間苦のある所、そこに必ず発生します。そしてそれはこれを滅ぼそうとしても決して滅ぶものではないのであります。如何に説明してもただ漫然とそう思いこまれるのであって、如何なる努力も無効であります。然ればどうするか。それはただ教養によって正しい信念にまで純化することより外にはあり得ません。

釈尊は独立者であります。天地創造の神、運命の左右神をひき破り、日の吉凶を打ちくだいて「日々これ好日」を提唱し、方角の好悪なきことを断言し、一切の邪神淫祠（いんし）を打ち崩して、人格本然の上に立ち上がって自覚を表明して、自ら仏陀たることを宣言せられました。

釈尊は自らの世界を自ら行歩し、他の何ものにも左右されずに信念のままに自由に独立に道義そのものを闊歩し、久遠の真如法性を生活し、具顕し、一切衆生の上に神通応化（じんずうおうけ）して教化救済されたのでありました。

大乗経典に神秘不思議なる荘厳（しょうごん）の釈尊を説くのは、全くこの自覚せる生活者を讃嘆し象徴し神秘化したにすぎません。釈尊こそは、最高の道義を実践し、最高の理念を体認した完全の人であったのであります。経典とはその日記であり、語録であり、その自覚せる涅槃の講説であり、象徴であり、詩文であり、歌嘆であり、讃美であります。彼の三十二相八十種好の相好の如きも、完全絶対なる人格の象徴讃美に外なりません。

架空の説話でもなく、独断でもなく、ここに一個の生活者、独立者があった。その釈尊をおいては一切はないのであります。釈尊という地上に生活せる人から如何なる経典も生まれたのであります。

我が阿弥陀仏の如きも、釈尊の自覚をおいて外にあるのではありません。阿弥陀仏の中に釈尊を見、釈尊の上に阿弥陀仏を見るのであります。まことに釈尊こそ、はっきりと両足で歩んだ、両足尊であったのであります。而して仏教史上不朽の地位を持つ龍樹（りゅうじゅ）菩薩は「十二礼」

において「阿弥陀仙両足尊」と阿弥陀仏を歌嘆されたのでありました。

釈尊と弥陀

私どもは先ず釈尊と阿弥陀仏との関係を親鸞聖人の信海を通して味わっておかねばなりません。『大無量寿経』を拝読する時、我等は先ず、耆闍崛山（ぎしゃくっせん）の会座に来会せる万二千の大衆が「一切大聖、神通已に達せり」とあるに驚くものであります。権仮（ごんけ）の方便を説くを要しない、神通すでに達せる大聖であります。しばらくはこの大聖の過去及び現在の聖徳の讃美にはじまっています。その大聖の来会に臨める釈尊は、光顔ことの外巍々（ぎぎ）として五徳の瑞相（ずいそう）を現わしました。これ即ち仏仏相念の世界においていわゆる身心共に弥陀三昧の大寂定に入って、永遠の光に輝きたまいしに外なりません。

この三昧に入って説かれたのが法蔵菩薩の本願でありました。その上巻では全く真如より来生せる法蔵菩薩の因位の大本願を説きました。そして下巻ではその成就されたる仏国土に願生すべきことを説きました。

まことに阿弥陀仏は「所説」（とかれて）であり、釈尊は「能説」（ときて）であります。常の釈尊は法を念じ法を説く釈尊であるが、『大経』においては仏を念じ仏を説きたもう仏であります。

阿弥陀仏はその本願に「至心に信楽（しんぎょう）して我が国に生まれんと欲（おも）え」と誓いました。即ち「欲生我国」と誓ったのに対して、釈尊は「願生彼国」と説く。一は理想の彼岸に立って「欲生我国」と一切衆生を招喚し、一は生死の現実に生きて「願生彼国」と発遣し咨嗟します。一つは救主であり、一つは教主であります。

我等は釈尊が『大経』においては、一切衆生と共に彼国に願生せんとせられる態度を拝しつつも、更に釈尊を久遠の本仏の願海に浮かべる還相の人として、阿弥陀仏との一体を信ずるものであります。

即ち親鸞聖人は和讃に、

「久遠実成阿弥陀仏　五濁の凡愚をあはれみて
　釈迦牟尼仏としめしてぞ　迦耶城（がやじょう）には応現（おうげん）する」（島地一一―一二〇、西五七二、東四八六）

と詠まれました。即ち釈尊は久遠の本仏、阿弥陀それ自身の応現である。一体であることの信念の告白であります。まことに阿弥陀仏なる仏格は釈尊と一ならざる仏格にして、同時に釈尊の先験的仏格であります。浄土教が後世限りなき発展をとげて、地に生滅する応現の釈尊を廃立して、超えてその根本仏格たる阿弥陀仏に帰命して本尊の聖壇に拝んだのは、釈尊を捨てたのではなくて、これを超えて、限りなく釈尊と等しく、彼の仏と一体の大心海に帰入して、人格の絶対開放、絶対独立の道義に永遠に生きんがためであります。

幽霊

幽霊には足がありません。理想に燃ゆる未来を持ちません。暗い過去に囚われています。愚痴と呪阻（のろい）と怨恨（うらみ）に動いています。現代の幽霊は決して夜の暗（くらやみ）の柳の下に出るとは決まっていません。昼の真唯中、大都会の繁華な巷を美しい衣服をつけて動いています。我等は何を目（もく）して幽霊というか。先ず自律の世界にいないで、何事も他のなにものかによって動いている人を幽霊だと申します。

あなたはなぜそうしますか。こうしないと叱られますから。親に、兄に、先生に叱られますからとて、叱られないように動くのです。あなたはなぜ自分の意見通りに行いませんでしたか。世間がやかましく申しますから、いや世論が反対でしたから、いや私の意見を言い張ると不利な立場に立ちますから、そうした理由で、自分は正しい意見を持ちながらも、心では残念でたまらないのに、皆に随っておくのです。こうした人間が八方美人であります。八方美人ほど美しそうで嫌なものはありません。力にも頼みにもなりません。

こうした人たちは、世論が湧いて来なければ、たといよいことであっても実行しません。何よりも世間の無意味な反対をおそれます。世間の声を聞いて自分を培ってゆくというのではなくて、ただ無意味に世間をおそれるのです。この人を動かしているのは、自分の衷心の声でも願望でも、意志でもなくて、それは世間であります。
こうした人は、たとえ「善」いことをしていても、自分がしたのではなくて、文楽座の人形芝居にすぎません。こうした自分を自分で生きていないで、何事も他人によって動いている人を「無道義の人」と呼びます。よいことをしているようでも、美しき幽霊であります。

人生で一番大事であるところの結婚などでも、娘は嫌でたまらないのを親の権力で無理に強制して、それに服従しない娘を不孝よばわりし、泣き泣きでも親の無理を通した時「孝行者」だという親があります。もちろん、子供の我がままや我慢を道だというのではありませんが、権力に泣き泣き服従するのが決して孝行ではありません。自分を真に生かすのが孝なのです。私は決して妹たちを「かたづけ」ません。一生家にいたって恥だとは思いません。彼等が衷心の願いのままに独立して歩む人に自らを育ててくれることを願っています。

人間は案外お人好しであります。ですから人のおだてにのります。ワイワイはやしたてられるとつい有頂天になって騒ぎはじめます。おだてられて動いていた者は、おだてる大衆がいなくなると、ぱったり火が消えたように止めてしまいます。人をおだてるのもよくないし、人におだてられて躍るのも人形です。幽霊の一種にすぎません。

先月号では、九星判断や、現世祈禱や、方角の善悪、日の吉凶、運命を左右する神や、そうしたものによって生きる人のことをやかましく言っておきましたが、人間は好運の時は案外強いのですが、不運や病気や禍が続くと、つい運命論の幽霊になって、迷信に走ってゆきます。苦のどん底におとして見るとその正体を暴露します。

釈尊は両足尊であります。一切のこうした世界をふみ破って、真の独立者として両足によって立ち歩みたもう尊き人であります。我等は限りなく、両足尊にあこがれ、帰命随喜せずにはいられません。

この独立者の天地を説き歩むべき仏教すらが、何時のほどにか世俗の迷妄に妥協して、盛んにおみくじを出したり、現世祈禱をやったりして、仏教本来の面目を棄てています。真宗を除いた他の全てがこれであると言ってもいい程であります。ここにおいて親鸞聖人は、

「五濁増のしるしには　この世の道俗ことごとく
　外儀（げぎ）は仏教のすがたにて　内心外道を帰敬せり
かなしきかなや道俗の　良時・吉日えらばしめ
　天神（てんじん）・地祇（ちぎ）をあがめつつ　卜占（ぼくせん）・祭祀（さいし）つとめとす
かなしきかなやこのごろの　和国の道俗みなともに

仏教の威儀をもととして　天地の鬼神を尊敬す」（島地一一―四〇、西六一八、東五〇九）と悲歎せられるのであります。愚かにして弱きものが、人格独立の王座を捨てて、はてしなき無明界に流転するのであります。

宗教の人格的意義

宗教は決して我等が他律の世界、幽霊の世界に流転することを許しません。自覚をおいて外に宗教はありません。

釈尊は天上の聖なる仏格の上に立って「天上天下唯我独尊」を叫びました。親鸞は大地に合掌して、人間性のどん底を諦観して「愚禿」を名告りました。二尊は全く相反する態度を持ち、相対する意識を持ちながら、しかも両極相一致し、その根本において同一の生命に生き、同一の信念に住し、同一の純粋行に生きたもうてあることを明らかに説いたものが、『大無量寿経』であらねばなりません。

宗教はそれが人格的な意味においてのみ、その意義を持つ。

我等は先ず無道義の世界から、道義の世界、自律の世界に移らねばならない。

そうして更に高次的立場からの批判と洗練とを受け入れて、純粋なる願の上に生きねばならない。

親鸞聖人は信の世界を表白して「自然法爾（じねんほうに）」と言われた。これ道義自律の世界を更に超えて、全一なる生命に輝き、究竟的態度、全人的生命愛に燃焼せられた世界の表現せられたる唯一の文字であらねばならぬ。

まことに如来は智慧によって、生死を超えて理想の浄土、至純絶対の彼岸に立って一切衆生を招喚したもうてある。真実の真実、善の善、美の美、普遍、永遠、平等、一なる光明の世界である。

南無阿弥陀仏とは、実にこの理想の彼岸より招喚したもう如来の名告りであり、その救済意志の表現である。

彼岸の光明は生死現実を限りなく否定する。この否定の現実のどん底に動くものは純粋なる願行である。如来の本願がそれである。如来の本願力とは実に大地に念ずる如来の大悲である。如来は彼岸に招喚しつつ、現実の生死にわけ入って、無明の生死界に働き、念じ、誓願する。彼岸にあっては名号と言い、現実にあっては本願という。

如来の願心は衆生の大信となる。願と信とは一体である。この信が外へと発展しては衆生の大行となる。大信大行ともに仏心の回向顕現である。この久遠の真実の回向顕現によって、衆生はあらゆる迷妄より覚めて、この唯一の彼岸に行歩し、本願の大道を現実の生死界に発見する。

かくして衆生は浄土へと生きて往く。往生とは欲生我国することであり、願生彼国することである。人格的意義におけるこの往生は、独立人格の内面的発展の過程であり、人格創造の道程である。もし多くの誤れる求道者の如く、往生を功利的な、低き人間の欲望の延長ととるならば、彼岸に往生するとは、地理的移動にすぎないことになりおわる。しかし経典は「教説」であって「地理書」ではない。

もしそれ浄土教がこの人格的、理想主義な意味をすてて、低級なる自楽の満足であるかの如くとられたる現在多くの信者たちの如きものであるならば、如来は遂に「両足尊」であり得なくなり、衆生はあらゆる迷妄にさめずして、念仏といえども依然たる幽霊界のたわごとにおわるであろう。

ここに我等は限りなく、両足尊に合掌し、帰命する。しかしそれはわずかの欲の満足のためではなくて、善悪の此岸を越えて、理想の彼岸に願生せんがためである。

七　尊敬

「尊」とは、釈尊の天上天下唯我独尊の尊であり、「敬」とは、聖徳太子の憲法の、篤敬三宝の敬である。

尊敬の文字は、人間の心におこし得る最も貴き情操の一つでなくてはならない。

そして、それらの文字は、人間の深い宗教的自覚を現わす文字ですらある。

人間の一番劣等なものが、誰にも尊敬せられず、誰をも尊敬しない。

「三宝を恭敬し、師長に奉事す」とは、法蔵菩薩の御心である。

仏道は唯、仏法僧の三宝を恭敬するところに、善知識につかえまつる所にのみ開かれる。

いかなる人間といえども、他人からの尊敬を求めない者はいない。侮辱されることを嫌がるのはこの心である。

しかし、尊敬は求めても、尊敬しようとはしない所に、我の塊としての凡夫がいる。

人を尊敬せずして、自己に対して尊敬を払うべきを求めるは、悪党の心理である。この種の人はその人の前においてのみ、頭を下げれば、得々とする。

尊敬される人必ずしも、尊くはない。しかし尊敬する心の中には、尊いものが動いている。


相当の年になり、相当に生き、相当に何かをすれば、必ず誰かに尊敬されるものである。

しかし、私は決して、み法(のり)以外の何物をもってしても尊敬せられてはならない。


何にあれ、真剣に生き、真剣に歩み、生きることに忠実であれば必ず、尊敬されるものである。一道の達人は、必ず尊ばれる。

尊敬を求むる前に、生きることに忠実であり、努力精進して、徳を成就すべきである。

我等はいと小さき存在である。一世の尊敬の的などになる事は出来ないが、「尊敬」する事は出来る。

仏は、拝まれる人であると共に、真に拝む心である。

自分を特別の人間であるかの如く狂信し、盲信して、人を見れば全部阿呆に見えはじめた時、その人こそ愚の骨頂に立っているのだ。

尊他なき自尊は、自尊ではなくて、憍慢である。

自尊なき尊他は、尊他ではなくて、へつらいであり、自卑であり、媚びであり、然らざれば野心を持つ者の手段である。

自尊は、尊他によって成就し、尊他は、自尊によって生まれる。

自尊は、自慢にあらず、尊他は、屈従にあらず。

尊敬にも、その対象がある。

権力も尊ばれ、財力も敬われる。何を尊び、何を敬うかによってその人生が決定する。

名聞利養が生命である人には、真に尊ぶべきものはついに発見せられない。

尊び、信じ、拝むべき、最後の唯一の真実を発見することが宗教である。

煩悩を超え雑音を封じ念仏の心に還る時、何を拝むべきか、何を恭敬すべきかを知らしめられる。

我をして三宝を恭敬し、三宝に帰依して、人生を終わらしめよ。否尽未来際をつくさしめよ。

汝よ、ただそれだけが、汝の真の生命である。人物の大小問題にあらず、学の浅深、地位、名利賢愚等、一切問題に非ず。

法然上人曰く、

「現世の過ぐべき様は、念仏の申されんように過ぐべし。念仏の妨げになりぬべくは何なりともよろずを厭ひ捨て是を止むべし。謂く、聖で申されずば妻を儲けて申すべし。妻を儲けて申されずば、聖で申すべし。住所(じゅうしょ)にて申されずば流行(るぎょう)して申すべし。流行して申されずば家に居て申すべし。自力の衣食にて申されずば、他人に助けられて申されずば、自力の衣食にて申すべし。一人して申されずば、同朋と共に申すべし。共行して申されずば、一人(ひとり)籠居(ろうい)て申すべし。衣食住の三つは、念仏の助業なり」

（『黒谷上人語燈録』）

と。念仏者こそ、如来を本尊とし、法を食とし、僧に帰依して生かされるものである。我、真実念仏者を尊敬す。何となれば、人中の上々人なるが故に。

汝の妻、汝を尊敬せりや
汝の夫、汝を尊敬せりや
汝の子、汝を尊敬せりや
汝の親、汝を尊敬せりや

尊敬を人に強いるは凡夫なり
一切を尊敬するは菩薩精神なり
尊敬する者はやがて尊敬せらる
人を尊敬せずして之を人に強ゆ
威圧暴力人の心を動かし得ず。

人間は尊敬したい動物である。驚くほど尊敬したい動物である。二千五百年古に印度に誕生された釈尊を拝んだり、七百年も昔に現われた聖人を、我が師父として仰いだり、よくよく拝みたいのが人間である。その人間が尊敬しないとすれば、そこにはとても重大な原因がなくてはならない。それについて一、二を語る。

一切を尊敬するは菩薩精神であり、尊敬を人に強いるは凡夫の我執である。如来を通して人生を見る時、一切人は平等である。平等である人を、差別づけて見て行こうとするが故に、人の尊敬を失うのである。差別だけを見る人は、自分の立場のみを言い張って他を権力で圧(おさ)えつけようとする。外面は従ったようでも、内心は反抗している。

世の隅っこで泣いている人がある。長い間、世の荒波に虐げられ、悪業に弄ばれて、誰も彼をかえりみない。もしその人が誰かによって、人類平等の慈愛のもとに抱かれたら、彼は必ずその人の前にひれ伏して、その人を尊敬するであろう。釈尊の偉大さはそこにあった。釈尊の御眼には、一切人類は平等に映じた。したがって卑められた者は高められ、高上りした者は引き下げられた。この釈尊の真精神に生きる者は、世の尊敬を受けるであろう。それに反してあくまで迷いの心を尺度として、差別を人の上に見て改めざる者は必ず人に軽んぜられるであろう。

人は誰も悪心より遠ざかりたい。しかるに人の心より常に悪心を引き出す者は、人の願いに遠ざかるが故に必ず人に侮られるであろう。

世の宗教家にして、高座より人の欠点をあげ、いたずらに非難し攻撃して、己れ一人得々たる人がある。仏心を与えるかわりに三毒煩悩をおこさしめて、人を繋がんとすればするだけ、人の心はその人より去ってゆく。自分の学問を鼻にかけても、自分の地位を言い張っても、他人の欠点を攻撃してもそれでは決して人の心を得ることは出来ない。ただ真実のありだけを打ちつけて歩む時、求めずとも世の人は尊ぶであろう。真実のみ人の心より真実を引き出すが故に。

人に侮辱された時、人に見下げられた時、怒ったり、非難したり、逆怨みしたりすれば、更に人に馬鹿にされるであろう。合掌して受け取るべきである。必ずその中には汝自身を養うに足る何物かがある。

もし汝がまことに持っている欠点をつかれ、忠告され、非難されたのにもかかわらず、怒って言葉を返し、かえって相手をやりつけて受け取らないならば、汝自身も救われず、相手もまたおさまらぬであろう。苦き忠言の前には合掌して謹んで謝すべきである。

誰でも遠来の客や、時々会う人や、遠慮の人や、目上の人の前では、己れを謹む。しかし毎日一緒にいる家内や、心安い人の前では油断して、道を外れ、放縦を行い、念仏修行の相を失う。これが汝をして世の尊敬を失わしむる根本である。恐るべきは、汝の親であり、妻であり、夫であり、子供であり、兄弟である。一世の尊敬は得られずとも、まず汝の家族をして、真に尊敬せしむるに足る生活者となれ。

仏は一切衆生を拝むが故に、一切衆生は仏を拝む。たとえその敵となる衆生すら仏は拝む。さればその仏のみ心がとどく限り、仏の前には悪人はいない。ことごとく仏性に輝く善男子善女人である。

今地上から去るにしても、一人として根本的に悪(にく)まねばならぬ人はいないまでに、汝は汝のすべてを知って暮らすべきである。怨みや憎しみは、汝を泥土に棄てることである。仏は「忍者に怨なし」と言う。

人に尊敬されることは容易いことである。人に尊敬せられる道は易行道である。その易き道を行く人がないのである。更に、人に尊敬せられることよりも、人を尊敬することはもっと容易い道である。その易い道を歩む人が少ないのである。

甲の地においても乙の地においても、如来の前に頭を下げ、自己の過去の醜悪な歩みを懺悔し、現前の逆悪の相に覚めて大地に手をついた人は、それを見るものをして悉く合掌せしめた。人は懺悔の人を責めず、笑わず、貶めず、必ずそれを尊ぶ魂の持ち主である。私は昨日も今日も唯そのことを事実の上にたしかに拝んできた。

如来の智慧光なくして、汝自身を知ることは困難である。汝自身を知らぬ限り、慚愧の心はおこらない。慚愧なきものは畜生である。畜生を拝むものがあるだろうか。慚愧は仏心である。仏心より外に衆生は拝まない。


海につかって泳ぐ時には、一分一秒だって油断はならない。波が押し寄せた時、言いわけしても、はねのけても無駄である。絶体絶命、波そのものを受け取ることよりほかには許されない。仮に第三者の位置に立って考えたり、自己を波から抽象たりすることは出来ない。

我等に許されたことは、ただ如実に人生のすべての波を領解することのみである。合掌の相(そう)は一切の波をそのままに領解する相である。

柳は緑、花は紅とは、天地の実相そのものである。煩悩の欲は、天地一切の相を我が要求の如く改めようとする。しかるに法蔵の願心は、天地のありのままの相を静かにその大心海に摂取して、火の中にも、毒の中にも、火なるが故に、毒なるが故に、ますますその本性を発揮し、顕現してやまぬのである。懺悔したもうも、合掌したもうも、忍従したもうも、すべては法蔵の願心にてましますのである。尊の字も、敬の文字もことごとく煩悩に属すべきでなくて、如来法蔵の願心の相に外ならない。

一切を尊敬する心は、一切の上に、尊きものを拝むことである。一色一香、中道に非ざることなく、煩悩の心がいかに勝手わがままを求むるとも、一切万象はそのままであってのみ、よく我等が上に念仏の大道は発揮せしめられ、念仏無上道に生きてのみ、一切を受け取って領解することが出来るであろう。かくて念仏道は自他一切の生かされる道であり、すべてが一に融けた世界にのみ、真の尊敬が成就されるのである。

ああ、尊敬の二文字は、弱肉強食、相殺相害、威圧暴力、瞋憎(しんぞう)の火炎、貪愛(とんあい)の水波、嫉妬反感、自暴自棄、等々の苦毒の中に立って、よく忍従し、常勝したもうものの相となって拝まれて来る。南無阿弥陀仏。

第五章　念仏者の生活

古来の聖賢は、教育学を学ばず、教師資格を持たずして、皆よき教師であった。
西洋のさる哲人は、釈尊を以って、世界最高の人類の教師であると言った。
無我の大精神が動いてのみ、熾烈なる教育的思慕を生むのである。

一　仏教と教育——四弘誓と教育精神——

仏教と教育

仏教の所説は広い。しかし所説の全ては人間及び社会成就の普遍的妥当的な道を説かれたのにすぎない。大乗という言葉は、普通に、大いなる乗物、即ち一切衆生の全てを乗せて現実の此岸より理想の彼岸へと度する乗物というように、「法」の量的解釈に用いられる。しかし翻って考うれば、仏教が徹頭徹尾人間の究竟的自覚を説けるものである限り、大乗とは地上の何れの時代、何れの人と雖も、これを実践せずば人間生活は成就し得ないという、普遍妥当的な法、或いは道そのものなることを知ることが出来る。かかる見解に立つ限り、大乗の法とは自覚の本質であり、人間生活の基調である。随って大乗菩薩道は、教育壇上の人にとっては、特に研究され実践さるべき道でなくてはならない。

日本に於ける教育的諸科学は、概ね西洋より翻訳されたものであり、或いはそれが日本化されたものである。而してかかる教育的論理の究明はすでに到れりつくせりの感があるにかかわらず、何故更に仏教的立場より教育を再認識せんとするのであるか。我等は次の如き諸点について考えることが出来る。

一、東洋には東洋独特の文化がある。而して仏教はその最たるものである。

一、大和民族史における民族教化の上に仏教の与えた貢献の再吟味。

一、西洋の学問の特徴が分析的であり、抽象的であるに対して、東洋、特に仏教の行方は、全体を全体として直感しつかみ、体験しようとする。従って全人的であり、生命的である。

一、明治以来、東洋を忘れ、宗教を無視し、科学を偏重して、頭脳過大の人を造り、情意の教育、特に宗教心の発達を碍毒(げがい)したことの反省。

一、報恩、感謝、犠牲、奉公の精神を忘れたため、個人主義的、利己主義的な人間を造ったこと。

一、然るに漸く過去の教育の欠陥が明らかになり、人間の成就、情意の陶冶、やがて宗教的情操の尊重が叫ばれ、特に「教育は遂に人である」。教育者そのものを得なければ、真の教育は不可能である、との自覚が明らかになった。ここにおいて教育の真精神、及び、教育者そのものの本質的教養が根本問題となる。宗教が、他の如何なる諸文化と雖も果たすことの出来ない人間成就のための唯一絶対な根本的な「聖」の要求に関するものである限り、教育者にとっては、宗教は他のいずれの人よりも重要視さるべきである。而して、かかる見地において、智、情、意のいずれより研究するも、完全なる要素を具有するものは仏教である。ここにおいて、教育の再批判の立場を仏教に求め、教育の真精神を把握し、これを教育壇上に獲得せんとするものである。

弘誓願

仏教はこれを色々な思想をもって代表せしむることが出来るが、我等は先ずその最も一般的なものをかりて、仏教と教育との内的交渉を求めんとして、先ず四弘誓願（しぐぜいがん）を出発点とした。四弘誓願は全ての菩薩の総願である。総願とは、一切菩薩が初めて発心して道を成就せんとするに当たって、必ず発さねばならぬ願という意である。即ち菩薩道の根本基調となるものである。一切人類にしていやしくも自利利他成就して菩薩道に生きんとする限り、何人も必ず発すべき願という意である。弘誓願とは、弘はその所願広普（しょがんこうしん）なるが故に弘といい、誓とは、その心意を制するが故に誓と言い、願とは、満足を志求するが故に願というのである。されば弘誓願は小我小欲を否定して生まれるが故に広大普遍であり（弘）、随って願は小我の利己心を制し否定して（誓）、大我の理想を実現せんとする意欲であることを知ることが出来る。

すでに「願」はそれ自体広大普遍を本質とする。真理に根ざさねばならない。真の教育的情熱は広普なる法の体験よりのみ生まれる。私利私欲が根底である限り、真の教育的情熱はあり得ない。仮令（たとえ）教壇上に於て接する児童は、五十名内外の少数であろうとも、そこに動く願の内容は、これを一切衆生に及ぼして猶足らぬ底の真理でなくてはならない。菩薩は一切衆生に施すべきを一切衆生に施すのである。願の内容がかかる広大普遍なるが故に、その所願の態度においても、一切衆生を大慈悲する底の深さを持つのである。而してかかる弘誓願に生きる者は、必ず本能我のいうがままに求むるがままに、自己を放逸ならしめずして、必ず自らの心意を制するが故に「誓」というのである。即ち本能我に立場あらしめずして、願を王座に即（つ）かしめて、本能我即ち煩悩をして従属せしめ、統一づけしめるのである。

誠に仏心は「誓」に生きる。誓があってのみ願は願たり得るのである。されば仏教にあっては「弘誓」と綴って「願」の内容とする。弘と誓とあってのみ願は成立するのである。この弘誓願なくしては教育作業は、畢竟、教師のパンを得る一手段たるに終わる。

四弘誓願

言う所の四弘誓願とは、

衆生（しゅじょうむ）無辺誓願度（へんせいがんど）　煩悩無数誓願断（ぼんのうむしゅせいがんだん）　法門無尽誓願学（ほうもんむじんせいがんがく）　仏道無上誓願成（ぶつどうむじょうせいがんじょう）

のそれである。『心地観経七』に曰く、

「一切菩薩復（ニ）有（リテ）二四種一成二就（シ）有情（ヲ）一住二持（シテ）三宝（ヲ）一大海劫終不二退転（セ）一云何為（スト）レ四。

一者誓度一切衆生　二者誓断一切煩悩　三者誓学一切法門
四者誓証一切仏果」と。

衆生無辺誓願度とは、菩薩の無辺なる一切衆生を済度せんとの誓願である。即ち菩薩の利他の願心を表せるものである。菩薩魂とは全く全我を奉げて衆生を救わんとする利他魂に外ならない。憶うに、吾人の生活にして肯定せられんには、唯その生活があげて利他の大行たる場合においてのみである。真理を代表して壇上に立つ教師たるものは、全くこの菩薩の化他（けた）の大行に則るべきである。しかしながら、真の利他行は決して真の自利をぬきにして成就されるものではない。真の自利をぬきにしたる利他は小乗の独覚であって、大乗の菩薩道ではあり得ない。ここにおいて真実の自利の道が説かれる。即ち、煩悩無数誓願断　法門無尽誓願学　仏道無上誓願成　以上の三願は全て菩薩自利の内容を示されたるものである。

煩悩無数誓願断……煩悩の数限りなきを誓って断ぜん、との願に生きることである。煩悩とは本能我のことであり、小我の要求であり、悩み苦しみの根本原因である。この本能我の要求によって、人生五十年を空費する者、即ち凡夫である。然るに菩薩は、この煩悩の無数なるを断ぜんとするのである。

煩悩とは価値我に対する反価値である。自己を苦しめ、他を悩ます暗の根本である。もしこの煩悩の声のみにて動かんか、真実生活は根本よりくつがえされて、人生は無価値なる流転の巷となる。されば菩薩は畢生（ひっせい）の力をこめてこの本能我と戦って勝とうとする。反価値の本能我の覆滅する所、真我、大我、価値我は人格の王座に君臨して、無上道を成就することが出来るからである。我等は先ず、何人にも具足する煩悩に対する断の誓願より行歩しなければならない。

菩薩精神

菩薩、それは神仙でもなく、鬼神でもなく、実に人間である。人間必ずしも菩薩ではない。しかし菩薩は必ず人間である。そこに仏教の特色がある。而して人間が菩薩たることは、何人と雖も拒まれてはいない。故に、如何なる人も必ず菩薩たらねばならない。然れば如何にして人は菩薩たり得るのであるか。曰く弘誓願に生きることである。

衆生無辺誓願度……菩薩は一切衆生を度せんとする誓願に生きる。成就衆生ということは、菩薩の生きる根本的態度でなくてはならぬ。その全我を布施して生きる利他の生活、それのみが菩薩行として肯定せられる。九月二十一日の近畿地方の風水害に当たっては、教育者は、その崇高なる教育精神を発揮して、幾多の美談を残した。誠に教育はいよいよ人であること、人を得てはじめて成就することを如実に物語った。平素の精神的動向が、児童の為に、献身的であり、殉教的である時のみ、いざという時、その平素の歩みに光るものを発揮するのである。

教育者にしてもし教育的情熱を欠けば、如何なる施設も、研究も死灰物となしてしまう。而して真の教育的情熱は、一片の感情ではなくて、菩薩の利他魂の自然の発露でなくては生まれない。古来の聖賢は、教育学を学ばず、教師資格を持たずして、皆よき教師であった。西洋のさる哲人は釈尊を以て世界最高の人類の教師であったと言った。無我の大精神が動いてのみ、熾烈(しれつ)なる教育的思慕を生むのである。教育者の言動の全ては、直ちに児童に印象されて、その長き未来を支配すると思えば、教育者は一切衆生を無限に済度(さいど)せんとする菩薩行に則るべきである。

煩悩無数誓願断

しかしながら、真実の利他は必ず真実の自利から生まれる。自利なくしては利他はあり得ない。自利利他一如の境こそ、真の道である。もし自損損他(じそんそんた)の世界に堕すれば、そこには人生生活は根本からくつがえされる。特に教育者にして自損損他すれば、教育作業は教育作業でなくて、殺人作業となる。故に自利の世界が成就されなくてはならない。

煩悩無数誓願断……それは自利行の第一である。煩悩のことを、普通、罪悪の名で呼ばれる。世間にいわゆる、犯罪、又は道徳的悪よりもより深刻なる内省自証において信知し得る、本能我の全てであり、精神的動きの全てである。仏は、凡夫迷妄の心を、貪欲、瞋恚(しんに)、愚痴の三毒煩悩の動きであると教える。人間が何等の教育を受けず、受けたとしても、それが人格の本質にふれず、宗教的体験にまでおし進められない限り、その生活の中心は必ず欲におかれる。最近、社会のやや上層に位する人々が様々な犯罪を構成して、その醜態を曝露するもの、教育を受けたる支配階級に属する人々が多い。これ宗教的教養を欠除せることも確かにその一因でなければならない。特に教育界において疑獄事件のおこるは、教育の理想よりも、自己の名利心を満(みた)さんとする処におきたもので、教育史上の汚点である。かかる形にあらわれた犯罪は言うを待たず、その心的生活の中心が「欲」中心である場合においては、遂に真実の教育は成就しないのであろう。

されば菩薩は、智慧光の力によって貪欲を否定して、その否定の境において現われる願に生きる。

弘誓願とは、弘とは「広普」を意味する。即ち広大普遍、普遍妥当なることである。普遍とは、仏教においては、時と処とを超えて、しかも、何時でも何処でも万有に実在する真如を意味する。この真如はまた涅槃ともよばれるが、涅槃の真実在に根拠を持たざる限り、普遍の道はあり得ない。これ煩悩を否定する智慧光は涅槃より流れ出ずる光であり、涅槃を自証せしむる眼である。

誓とは、その心意を制するが故に誓というのであった。意馬心猿(いばしんえん)のおどり狂うままに生きる所に願はあり得ない。本能我が、智慧光に照破されて、その心意の奔放を制する処に道がある。しかもそれが実在に根拠を持つ限り、欲を超えて願の生活こそ、易行道である。

否定

実在真如より顕現して、衆生の上に来生し、その自覚を通して貪欲を否定する力を、親鸞聖人の言葉を借りて言えば、如来の本願力である。如来の本願力は、浄土より人生に、仏より衆生にはたらきかけて、衆生の迷妄を限りなく全否定し、その全否定を通して如来の真実を全肯定し、我及び人生の内容となろうとする。

ここにおいて否定と言う語であるが、否定とは、消滅ではなく、修繕でなく、廃除でなく、仏心と煩悩との全き揚棄である。であるから「煩悩や欲を否定せよ」と言っても、なくすることではない。炭に火のおこりついたが如く、仏心によって本能我を揚棄することである。冬は何人といえども寒い。夏は何人といえども暑い。しかし真に教育のことに献身的である時、その寒暑を超えて何ものかが動き、「断」の一字が光って寒さの中に勝たせるであろう。

智慧光が、本能我より高次的立場に立って、全き統一と支配をなすであろう。

法門無尽誓願学

真に利他せんとする者は、必ず自利を真に成就しなければならない。而してその自利の第一、前号においては「煩悩無数誓願断」について述べて来た。誠に煩悩に無自覚にして放逸無慚であることは、それ自体自損するものであって、何で利他を成就することを得ようや。故に願には必ず、煩悩を否定するの智を生じ、欲を制するの誓をおこし、生活そのものの聖化を成就するのである。

然るにかかる弘誓は更に「法門無尽誓願学」と転じて、はじめて成就せられるのである。即ち仏法の法門は無尽である。その無尽なる法門を学ばんとの誓願である。釈尊の説きたもう法門は八万四千と言われる。その法門を学ばんとするもの即ち仏教者である。

蓋し仏道を精進せんとする者は必ず三宝に帰依する。三宝とは仏、法、僧の三宝である。この三宝に対する絶対帰依こそ、具体的な宗教生活そのものである。僧に帰依する所以は、僧によって法を学ばんがためである。法は、聖者より聖者、高僧より高僧へと伝持せられる。その僧を善知識と仰ぎ、それに絶対帰依して、ひたすらにその説ける法を聞くことによって、やがて自己も仏たらんとするのである。

普賢の行願

憶うに法を学ぶことなくしては、永久に無智に沈んで、自利利他成就することは不可能である。されば一切衆生を救わんとの誓願に生きる菩薩は、常に限りなく向上門をたどって、法を求めて精進するのである。魂の糧は唯、法を食とするにある。誠に法こそは、三世諸仏菩薩を成就する普遍の大生命である。真理は天地を一貫する真如の内容である。如来の内臓である。独断偏見を超えて真理と自己とを等しうすることより外に自らを救う方法はあり得ない。されば、『四十華厳経』の普賢の行願品にも、真如界より現実生死界に還来して、無辺の衆生を成就せんとする普賢の行願として十大願を数える中に、その第八に「常随仏学」を挙げられている。普賢菩薩とは、釈尊の慈悲を表せるものである。慈悲心は常に衆生に同化随順しつつ、懺悔業障、随喜功徳等の諸徳を成就しつつ、諸仏如来を敬礼称讃して、仏の住世にあって、常に仏に随って法を学ばんとするのである。

求道

教育者は、普賢の如く、真理を代表して被教育者に向かわんとするものではある。しかし、もし教育者にして、単に教うることのみに没頭して、学ぶことを忘れんか、教ゆることもまた不可能であろう。真に教える者は、真に学ぶものでなくてはならない。教えることを知って学ぶことを知らぬ人は、すでに生命の枯死せる人である。されば、教育者は、教育者であるより先に、被教育者以上の被教育者でなくてはならない。而して被教育的体験は、必ずその前に真理を代表する師を求める。純なる学ばんとする心は、必ず師教の前に合掌してその教えに随順する。されば常随仏学と言い、帰依僧と言われるのである。

教育者にして、教育によって衣食住をささえられることは決して恥辱ではない。しかし衣食住を本位として教育の根本使命を忘れて、月給、恩給を数えることが唯一の衷心の声であるに至れば、すでに真の教育者ではない。かかる教育者は何時しか教育者としての光輝を失うであろう。永久に若々しくある唯一の方法は、不断に永久に純なる求め心を失わぬことである。而して真実の宗教生活とは「法門無尽誓願学」と菩薩精神に生きる具体的な生活に生きることである。

『大無量寿経』において法蔵菩薩は、師仏世自在王如来の前に合掌して、その一切衆生救済の誓願を宣べるに当たって、

「仮使有仏　百千億万　　仮使仏有りて　百千億万
無量大聖　数如恒沙　　無量の大聖　数恒沙の如くならんに、
供養一切　斯等諸仏　　一切斯等の諸仏を供養せんより

不如求道　堅正不却　如かず道を求めて　堅正にして却かざらんには」

（島地一─一〇、西一二、東一二）

と説かれ、『無量清浄平等覚経』には、

「設令満世界火　設令世界に満てらん火をも

過此中得聞法　此中を過ぎて法を聞くことを得ば

会当作世尊将　会ずまさに世尊と作って将て

度一切生老死　一切の生老死を度せんとすべし」

と宣べられる所以である。即ち道を求める心は法を聞く心である。この法を求め、道をきわめて自己を成就せんとするは、全く菩薩の誓願と言わなければならない。

仏道無上誓願成

かく菩薩は、誓って一切の煩悩を断ぜんとし、誓って一切の法門を学ばんとするは何のためであるか。それが第四の「仏道無上誓願成」のためである。即ち一切の仏果を証し、無上の誓願を成就せんとするのである。

蓋し仏教の法門は無尽であるが、その目的とする所は、畢竟、仏果を成就せんとするにあるのである。仏果を証するとは、涅槃に至ることである。涅槃とは実に菩薩の理想である。而して涅槃に至って一切の徳を成就し、仏陀世尊となり、一切群生を救わんとする「衆生無辺誓願度」の第一の弘誓を完全に成就すべき身となるのである。

成仏

成仏……仏陀とは何であるか。仏陀とは、最高理念の実現せられたる絶対人格である。涅槃の絶対価値を実現したる絶対人格である。即ち、煩悩無数誓願断、法門無尽誓願学によって仏道無上誓願成を完全に果たした人である。仏陀は、その主観界に自覚を成就するのみならず、客観界に覚他を成就せるものである。覚他とは、衆生無辺誓願度の成就である。語をかえて言えば、自覚と覚他を成就せる人である。古来これを、自覚、覚他、覚行窮満（かくぎょうぐうまん）と言われる。而して、自覚とは法を得証することであり、覚他とは一切衆生を利益することである。

法身

仏陀は法を得証せる人である。而して法、即ち、真理は決して単に真理として抽象的にぶらさがった死灰物ではなくて、どこまでも具体全一の生命である。即ち生きたる人格的実在であり、必ず生きた人格の上に顕現するが故に、真理、即ち、法を法身とよばれる。

この聖なる法身を体現することによって仏陀は誕生するのである。この法身が、仏陀の人格となり、実行となり、説法となって顕現するのである。さればこの不生不滅の法身、即ち、人格の本質であるが故に、仏陀もまた不生不滅にして金剛不壊（ふえ）だというのである。

この成仏を消極的に表現すれば苦悩罪悪の滅尽であり、差別的繋縛の断滅であるが故に、四弘誓においては煩悩無数誓願断と挙げられるのである。

而してかかる差別的見解の打破、苦悩罪悪の滅尽は、法身自体より等流（とうる）する智慧光によって可能なのである。仏陀はこの智慧光によって、善悪、賢愚、美醜、浄穢等の相対差別の囚われを超えて、一切衆生平等の大慈悲を成就するのである。この大慈悲こそ、仏陀の全人格である。

菩薩

仏教の通規として、釈尊より外の者は仏陀とは言わない。それは、仏教徒の謙譲の徳であり、又その内省自証に忠実なるが故である。然れば、真に仏陀の教えを生きる者をば何と呼ぶのであるか。菩提薩埵（ぼだいさった）（Bodhisattva（ボードヒサットワ））がそれである。これを旧には、大道心衆生又は道衆生と訳し、新には大覚有情、又は覚有情と訳す。道を求める大心の人であるから道心衆生と言われ、仏の大覚を求める者なるが故に道衆生とよばれ、大覚有情又は覚有情と言われるのである。菩提とは道であり覚りである。薩埵とは衆生であり人である。しかし薩埵はただ単に人ではなくて勇猛の義がある。勇猛に菩提を求むるが故に菩提薩埵とよばれるのである。されば、菩提薩埵は又、開士、高士、大士等とも訳せられるが、普通は菩薩とよばれている。

仏の真精神によって、道を求め、仏陀にまで生活を成就せんとする人は皆、菩薩とよばれる。我等は実に大乗の菩薩大士たらねばならない。而して、仏陀たり得ることに間違いなく菩薩道に精進する者、これを親鸞は正定聚不退転と呼んだのである。彼はこれを念仏道に発見成就した。念仏道に生きれば、阿弥陀仏の大願業力にひかれて不退転なることが出来、やがて無量寿の仏陀たり得ることに正しく定まる聚なるが故に、正定聚と言われるのである。而して親鸞は念仏行者をば菩薩の最高位五十一段の等正覚の位に住する者として価値づけた。

蓋し絶対にして絶対なる聖なる法身（法身を、真如、涅槃、一如等とよぶ）より来生して、一切衆生を救わんとする尽十方無碍光如来の全てを、信一念に領得し、真如法身の絶対価値を名号を通して全領するが故に、菩薩の最高位を証すると同一たることを得るのである。

我等は先に、

衆生無辺誓願度　煩悩無数誓願断　法門無尽誓願学　仏道無上誓願成

の四弘誓願を一応は我等の成就すべきものとして力説した。確かに我等はこれに深い関心を持たねばならない。然るに親鸞においては深い宗教的体験の世界において、これを法身にかえした。即ち真如界より現実人生に無限に願行を成就して一切衆生を救わんとする法蔵菩薩の上にそれを転じ、自らはその菩薩の本願を憶念することによって救われる大信に更生した。かくて四弘誓は仏の内具する徳とせられ、我等はその徳によって救われ、やがて他力の大用（はたらき）として四弘誓の精神に生きるのである。

かくして正しい宗教的信仰は成就するのである。我等は教育精神の上に宗教を生かさねばならない。而してその一途として、正しい信仰生活の内容を四弘誓願の上に立って考察したのである。

二　業のもつ宗教的意義

運命感は如何にして生まれるか

業と運命は同じであるか。違いがあるか。

こうした問いは、しばしば出される問題である。この問いに答えるに先だって明瞭にしておかなければならないことは「運命」という言葉の持つ意味である。一般には運命と言えば、何か一つの我等にとって不可抗である力が、我を離れて存在し、その力が我を左右し、支配するという考え、その力を運命だというのである。この一種の力が、我の生活とは何等の関係なく、偶然に働きかける、我等は唯、何時、どんな形で現われるかわからないこの力の前にはただ服従することがあるばかりであるという運命論がそれについておこって来る。我等の生活は先ずこの運命論に対して新しく、鋭い批判のメスを与える所から始められなければならない。

人生の矛盾

先ず第一に考えなければならないことは、運命観は何によりておこるかということである。それに対する答えは明確である。曰く、人生に存在する矛盾である。

我等の客観から働きかける全ての力がもし、我に対して喜ばしいものであるならば、運命観はおこらないであろう。春が来て大地が桜花に荘厳されるのを観て、誰が運命観をおこそうか。大海の波が逆巻いているのを見て芸術的感情はある偉大を感ずるであろう。けれども、その怒濤によって一人の子供が死に至った場合には、その親にとっては、運命観をおこす素材となり得る。かく考える時、運命観は、人生の矛盾に対する、一種の解釈の仕方である。

人生の矛盾には様々な種類があろうけれども、その最大なるものは死である。死は人生の最大の悲劇だからである。「死は生きとし生ける者の運命である」との言葉は、真に長い間言いつづけられた言葉である。

何が故に死を運命というのであろうか。生まれた者が死ぬるということは、それは当然のことであり、生まれた者が死ぬるということこそ正しいことである。それは運命ではなくて天地の相（そう）である。唯、人間は限りなく生きようとする意欲（ねがい）をもつ、その限りなく生きようとする願いと、死とは矛盾する。ここに運命を観ずるのである。

すると運命観は、人生の矛盾に対する愚かなる解釈によって生まれることがわかる。即ち無智が生み出すのである。

業感縁起

運命観は、正しい智慧に立っていない。即ち我を支配する力を我以外に立ててその不可抗な仕草に盲従しようとする。その無自覚は、人間を懈怠（けだい）に追いやったり、無気力にしたり、人生に対する正しい見方がないために、種々な嫌な生活がまきおこされる。その最も悪いことの一つは、責任回避である。

ここに釈尊は、先ず我等を正しい人生及び自己の観方につれてゆこうとせられた。業（ごう）の教えがそれである。けだし業の考え方は、一切の責任を我の上に奪うのである。

業の思想は、徹頭徹尾、因果観の上に立つものである。因果とは詳しく言えば、因、縁、果である。ここにペンを持つ我は、久遠劫来の私自身の生活の果である。その果は、未来の生活の因である。果のままが因である。因のままが果である。その因は、因に相応する縁をひきよせ、又は、つくっている。因に縁がはたらきかけて、次の果を生むのである。この因、縁、果の一如の相こそ我でなくてはならない。天地のあらゆるものが、全て因果律以外には、出ていない。一切が因果律によって動いている。

この思想を仏教では「業感縁起」とよばれるが、我々の心身も、その客観的世界も、すべて日々夜々に作す所の作業によって発現われるのである。『倶舎論』には、「有情世間及び器世間に各多くの差別あり、是の如き差別は、誰に由りて生ずるや」と問い、「世の別は業に由りて生ず」と答えられている。

即ち我自らも、我をとりまく世界も、業力によって生じ、それによって差別の宇宙万有を生じ衆生を生じて、連続無窮に一つの流れとして転廻されてゆくのであると説くのである。

更に業の体を説いて、「思と及び思の所作なり、思は即ち意業なり、所作は謂く身と語なり」と言われてある。

思とは、心のはたらきである。その精神活動が、所作となって出たのが、身業と口業である。これを合わせて、身業、口業、意業の三業と名づけるのである。この身口意の三業が、我等の未来をつくる力となり一切の境遇を生む力となるのである。

その役割

ここに注意しなくてはならぬことは、業の思想はただ単に、我及び人生をただ客観的にながめて、これを説明する論理ではなくて、自覚の世界において感ぜられる体験の事実であり、その論理であることである。だから「業感縁起」とよばれるのであろう。一切の苦悩、一切の矛盾、その他の我及び、我の境遇等を我自らの責任と感ぜしめ、やがて、我自らの真実相を発見せしむるものである。業感縁起が、人生を説く唯一の方法でもなく、その全てでもない。仏教には、更に頼耶縁起論、真如縁起論、法界縁起論等があるけれども、自覚の過程として、又その自覚の根底において、業感縁起は、重大なる役目をはたすものである。

随順

我等は、天地に反逆し、社会人生に反逆し一切の人に反逆し、我自らにすら反逆する。ここに一切と対立して、我を抽象して、一切のものの彼方に独り、孤立せしめる。

我等の生活が正しい態度におかれる時、いわゆる人生に対する随順の相となる。随順とは、対立を超えて、一体となることである。家と我との対立がなくなる時、家の一切は我の一切である。人生、宇宙に随順する時、人生と我と一体である。かかる一体の天地においては、如何に苦悩がおしよせようとも、逃げるに逃げる所なく、去るに去る所なく、責任の一切を誰にも持ってゆきようがない。我等は内に業を感ずることによってかかる随順の世界につれてかえられるのである。

業と智慧

業は一体何によって生ずるか、その根本をなすものは、無明（むみょう）である。無明とは智慧の光を失った暗黒を意味するもので、又「惑（わく）」とよばれる。この惑より業をおこし、それの果報として、苦がある。故に、惑業苦（わくごうく）という。苦を避けんとして更に、惑がおこり、より深い業を造り、業によって苦に至る。我等の一切は、惑業苦以外の何ものでもない。惑業苦は価値ならざるものであり、否定さるべきものである。即ち迷いの事実である。しかし、かかる自覚、惑業苦を迷いの事実として感得するためには、そこに、それを照破する光がなくてはならない。この光こそ智慧である。智慧光の照破によってのみ、我等は、内に、業を厭うべきものとして感ずるのである。

釈尊はすでに、この智慧光によって、一切衆生の流転する相を十二因縁（惑業苦）として感得せられて、それによって一切の迷いを超えて、解脱して涅槃を得られたのである。であるから業を感ずることは唯、智慧光によってのみ可能である。智慧はそれ自身、真如より流れ来るものである。凡夫の所有ではなくて、如来それ自身のものである。この如来の智慧光が我等の内に輝く時、そこに業の流れを体感せしめるのである。

超越

かくして如来の智慧光によって業を知るとは、一体如何なることであろうか。それは即ち、業そのものが何であるかを知るのである。業を知るとは、我において一切衆生を知り、人生を知るのである。迷いの事実を事実として知るのである。

然れば、知るとは何であるか、真実に知るとは、解脱することである。超越することである。

親鸞聖人が、

「念仏者は無碍の一道なり……罪悪も業報を感ずることあたはず」（島地二三—三、西八三六、東六二九）

とは、業報よりよく超越せる者の叫びでなければならない。業感縁起論の使命がそこにある。業を真に知るとは、業を超越することである。業を超越してのみ、業を業と知るのである。業においって、しかも業を業と知り、それを超越することは、業の力ではない。それはただ智慧によってのみ、なされるのである。

智慧によって業を超えるとは、言いかえると真に業に随順することである。随順するもののみ、よく超えるのである。苦悩への随順であり、矛盾の超克である。

もし、業の思想を、かかる智慧光の体内においてなされる自覚反省の事実であり、随順と超越との風光を忘れて、ただ単に人生や我を説明する説明の仕方とするならば、我等は又、宿作外道（しゅくさげどう）の迷妄に堕ちて、長く真実生活を失うであろう。宿作外道とは、我等の生活の全ては、前生に播いた種が生えたので、如何なる精進も努力も役立たないという宿命論である。仏教の業思想は、決してかかる宿命論、運命論ではない。一切のものみなが、因果の報いであり、あらわれであることを知る時、そこに唯、精進努力せねばならぬという大勇猛心が油然として湧くと共に、よく一切を背負って立ち、無願三昧の念仏道に帰するのである。

念仏道

然るに聖人の告白を聞けば、しばしば、善悪の一切が、宿業にあらずということなし、とのみ教えにふれる。これは如何に考うべきであろうか。この聖人の体験のみ言葉がしばしば誤られて、真宗教徒をして宿作外道にしてしまった。

一体我等が、自らを廃悪修善に高めようとしたり、心の波を静めようとすれば、必ず、そこにそれと反する自己を見なければならない。その時にあたって、我と我ながら、恐るべき力が内心に動いて、心の思うままに善行を執持させてはくれない。この内省の世界に感ずる反道義の力こそ、業と感ぜられるものである。しかもそれは、他よりこれを運び入れたものではなく、借りたものでもなく、我自ら我に反逆する力である。そこに我の宿業を感ずるのである。宿作外道の運命観とは根本的に異なっている。少なくともそこには高い道念が動いている。正しい価値の認識がある。この業力を感ずればこそ、ここに自覚反省の極致において、自力をはなれて、仏力に帰するのである。仏の智慧に帰するが故に、いよいよこの業力を明らかに知り、仏力によって摂取されて一切を抱いて合掌するのである。されば正しい念仏行者は決して、一切の責任を他に転嫁しようとはせぬ。ありのままの世界を発見しつつ業道を蹴破って如来に立ち上がってゆくのである。そこには、運命観もなければあきらめも、妥協も、逃避もない。ただ如来に生きる道一つが、業報の中に恵まれる。業報の一切は念仏道の中に摂取されて、仏の一切の生きる舞台となるのである。不断煩悩得涅槃の世界がそれである。

三　生活の統御者

人は、眼、耳、鼻、舌、身の五官を持ち、これによって人とつながり、社会と融合する。故に五官の動きは、自己及び社会のすべてを左右する。

近頃仏教が再び大衆の心に求められる傾向が盛んになったと言われる。これは嬉しいことである。そしてその傾向が、かなり真剣なものだと言われる。すべてに行き詰まった社会が、一度棄てた仏教をかえりみて来たのであるから、それが当然であろう。

そしてそれが真剣であるだけ直接生活の上に生かそうとする傾向が強いこともあたりまえである。

釈尊は、その御臨終に当たって、高遠なことを説かないで、卑近な戒を説かれた。それが、ずっと続けて出ている『遺教経（ゆいきょうぎょう）』である。

戒律とは生活のことである。内心の信念が体の上に顕れた生活の形式のことである。

何でも古くなって腐って来ると、その説く所のみ深くなって、形を重んじなくなり、あるいは形だけ尊んで、その生命がぬけて来る。仏教も確かにそうした傾向が深くなって、どうにもならなくなっている。もし仏教が復興するとすれば、形の上にも、そしてその内的生命の上にも、大革命があることであろう。

釈尊は、眼、耳、鼻、舌、身の五官を制（ととの）えよと教えられた。

蓮如様は「我が心にまかせずして心をせめよ　仏法は心のつまるものかと思えば信心におん

なぐさみ候」と言われた。心すべきことである。

浄土真宗が、念仏をあまり申せば自力になる、生活を生かせと言えば自力になる、といった具合に、何でも生活の上に仏の教えを生かせば自力になるように考え、他力とは、何もしないでお浄土に参られると教えるもののように思われたことがある。否、今でも正しく仏教を語れば、異安心よばわりする所がある。これでは滅亡以外に何もなくなるであろう。

天理教だとか、金光教だとか、ひとのみちだとか、大変な勢いで発展するのには色々な原因もあろうが、直接、実践主義であることがその発展の一大原因である。

人間の手によって為し得ること、道徳の教えだけですら為し得ることを為し得ない時、その不都合を教理で弁護しようとしたのが、過去の仏教ではなかったか。

私どもは、浄土真宗の教えが真実であるという信念をどうすることも出来ない。しかし、それがそれであればあるだけ、いよいよ正しく教えを受け取って生活しなければならないと切念する。

身にもしてはならぬことをし、口にも言うまじきことを言って、それが大胆にされるようになったのが、仏教者であるかの如く考えてはならない。

如来本願の前には、善悪はない。善悪一如の境において、いよいよ善事をなさんと心がけ、如来本願の前には賢愚一如であることがわかりぬいて、ますます教えを聞いて深まってゆく所に、ほんとうの信の世界があるのではないか。大愚に至ってはじめて智慧が光り、大悪に覚めて、はじめて如来の善力がわかる。

新しいと任じた青年たちは、一時、宗教を否定し、人間の憂いを無視し、道徳を排斥し、人間の魂を否定し、個人生活を眼中におかず、ただ大衆と言い社会と言う漠然たるものの意志のみを重んじて、一切を憎み、反抗して、生きようとする傾向が強く動いていた。

こうした世界に無関心な青年たちは、理想を失い、道を失って、ただ本能的な享楽の巷に足をふみ入れて溺惑した。しかし、こうした二つの傾向のいずれもが、人間の正しい生き方ではなかった。今にしてそれがわかって来た。

あたら、青年が夜な夜なをカフェーに費して、貴重なる時間と精神を失ってしまい、コツコツ真面目に自己を築きあげることを忘れて、青春の日を空費することは、最も悲しむべきことである。

眼の後ろに、これを統制する眼が必要である。

耳の奥に、耳を統制する耳が必要である。

鼻の奥に、鼻を制御する鼻が必要である。

舌の後ろに、舌を制御する、轡（くつわ）が必要である。

身の後ろに、身を制御する、御者が必要である。

如来本願の大信心がそれである。

眼、耳、鼻、舌、身の五官を欲の支配にのみまかせておけば、いわゆる享楽主義の生活が生まれて来る。

花を見れば美しいと見る眼ではあるが、それが仏を拝む眼に使われ、耳は美しい音のみ聞こうとする耳ではあるが、み法（のり）を聞く耳に使われ、舌は食事の美味を求める舌ではあるが、法味を愛楽（あいぎょう）する舌に使われ、身は享楽を求める体ではあるが、合掌の相となり、求道のために動き、報謝のためにはたらき、如来の生きたもう舞台となる時、体あるがために知り得る法蔵の本願であることがわかる。


救われるとは、人格の主の座に如来の本願が君臨して、煩悩の立場なからしめ、一切の煩悩を客位に平伏せしめ、主客顛倒して、如来の智慧光のみものを言うことである。

その時五官は、仏の本願に統御せられるであろう。されば『安心決定鈔』には、

「色心二法（身と心）・三業（身、口、意の三業）四威儀（行住坐臥）すべて報仏の功徳の

至らぬ所なければ、南無の機と阿弥陀仏の片時も離るる事なければ、念々みな南無阿弥陀仏なり」　（島地二八―六、西一三九一、東九四八）

とあり、仏凡一体の境である。まことに聞法に徹底して、大行によって統一せられたる生活を成就すべきである。

生活の真実義は、人生の具体的な世界において、如来を顕現する生活の成就より外にはあり得ない。

如来は生活の統御者である。大信心は人格の根本主義である。

四　名聞利養の心を凝視して

人間がもし「人に知られよう、名を挙げよう」という欲を超えることができたら、人間の生きることはとても楽になり、その肩の荷はとても軽くなる。

仏教では、人間を五欲の塊だという。その中の名利欲は、どんな聖僧の衣の下にもついて回る。それほど相を見せない悪魔なのである。

名利欲が醜いものであるといえば、そしてまた名誉にならぬと思えば、きっぱり精進することを止めてしまう。それは大変なまちがいである。自己の内面を不断に培うことは、人間に与えられた特権であり、喜びである。

心内に巣食う煩悩が何と言おうと、有名にならなくてもいいのだ。名高くならなくてもいいのだ。ただ真実なるものを求め、真実なるものに求められ、真実を念じて一歩一歩、精進してゆくことが許されてあるだけだ。

われわれは凡夫である。凡夫とは『一念多念証文』に曰く、

「凡夫といふは無明・煩悩われらが身にみちみちて欲もおほく瞋り腹だちそねみねたむ心多く間なくして臨終の一念にいたるまでとどまらずきえず……」

（島地一九―一〇、西六九三、東五四五）

と。

過去もそれであった。現在もそれであり、未来もまたそれである。油断すれば、現前脚下は恐るべき三悪の火口である。

ある時、親鸞聖人が黒谷の法然上人の禅房へお参りの時、一人の修行者が、「京中に八宗兼学の名誉まします、智慧第一の聖人の貴房を知っておられるか」とたずねた。そこで一緒に吉水の法然上人の処に行かれた。修行者は招かれて法然上人の前に出た。二人はしばらく無言で

にらみ合っておられたが、上人は口を開かれた。

「御房は何処の人ぞ、また何の用ありて来れるぞや」

「我はこれ鎮西の者なり、求法のため華洛に上る。よって推参つかまつるものなり」

「求法とは、何の法を求むるぞや」

「念仏の法を求む」

「念仏は唐土の念仏か、日本の念仏か」

「唐土の念仏を求むるなり」

「さては善導大師の御弟子にこそあるなれ」

こうした問答がかわされた。その時、修行者は懐よりつま硯をとり出して二字を書いてささげて弟子入門の礼をとった。これが鎮西の聖光房である。

彼は鎮西で思った。「洛には智慧第一と称する聖人がおられるそうだが、大したことはあるまい。速やかに上洛して一問答しよう。もし負けたら弟子になろう。もし勝ったら弟子にしてやろう」と。

その腹が法然上人には見えた。

そこでかの問答があったのだが、「上人をわが弟子とすること、梯子をかけても及ばない」と思ったので師資の礼をなしたのである。

それから二、三年たって、聖光房は「本国が恋しくなりましたからお暇を頂きます」とて、御前を去り門を出ようとした。すると上人は言われた。

「修行者が髻(もとどり)を切らで行くとは、惜しいことだ」

そのお声が耳に入ったので、帰って来て曰く、

「聖光は出家得度して歳久しいことであります。然るに髻を切らぬよし仰せをこうむる。不審至極であります。この仰せ耳に留るによりて路を行くことも出来ませぬ。事の次第を承りわきまえんがために帰りました」と言った。その時上人は、

「法師には三つの髻がある。いわゆる、勝他(しょうた)、利養(りよう)、名聞(みょうもん)がこれである。この三か年があいだ、源空が述ぶる所の法門を記し集めて身に持っている。本国に下りて人を虐げんとする、これ勝他ではないか。それにつけて善き学者といわれようと思う、これ名聞をねがうのである。よりて信者門徒を多く取ろうとのぞむこと、しょせん利養のためである。この三つの髻を剃りすてねば法師といいがたい。よって左様申したのじゃ」と言われたので、聖光房は改悔の色をあらわし、笈(おい)の中から書き納めたものをみな捨て、暇申して出て行ったが、まだ余りがあったのか、後、仰せでない諸行往生をとなえはじめた。悲しむべきである。

　これは有名な『口伝鈔』の話であるが、深く教えられる物語である。

人をしのぎ、人よりもすぐれてやろうとするのが勝他、賢い人だと言われたいのが名聞、こ

れによって身が安楽に暮らしたいのが利養である。その心の前には如来の法門は閉ざされる。親鸞聖人が吉水に下られた動機の中には、赤き一点の求道心、菩提心よりほか何ものもなかった。果たしてわれ等にこの三つの髻がないであろうか。

聖人の末流は皆無であって、聖光房の末孫ばかりではあるまいか。

まことに仏を聞くものは仏心である。仏心の回向なくして、仏を真に聞くことが出来ようか。南無とたのみ、南無と信じ、南無と聞く機は阿弥陀仏と機法一体である。仏心である。勝他や、名聞や、利養心がどうして大法を聞き得ようぞ。

聖光房は、悲しくも、内心に動くこの三つの我慢を見ることが出来なかった。しかるに聖人は、

「名利の大山に迷惑して……恥づべし傷む可し矣」（島地一二―九三、西二六六、東二五二）

「是非しらず邪正(じゃしょう)もわかぬこの身なり　小慈小悲もなけれども　名利(みょうり)に人師をこのむなり」（島地一一―四二、西六二二、東五一一）

と、自己内心に巣くう悪魔の正体を智慧光に照破され、つきとめて念仏しておられたのである。如来真実の前に、静かに我等の心中を投げ出そう。我等はしょせん凡夫である。聖徳太子は、

「我れ必ずしも聖(ひじり)に非ず、彼(か)れ必ずしも愚(おろか)に非ず、共に是れ凡夫(ただびと)のみ」

（島地四一―三、西一四三六、東九六五）

と仰せられて、凡夫道を打ち建てんとせられた。

「非凡なる人のごとくにふるまへる、後のさびしさは、何にかたぐへむ」（Ｓ木）

幾度か幾度かくり返されるさびしさである。心すべきである。

大衆開放のために勇ましく立つことも困難であろうが、病める同胞一人のために、名もなく人知れず苦闘することは、もっと至難である。

人は名利の子なるが故に、利己的なるが故に、「馬鹿らしい」と思う心と戦うことほどでも、容易ではない。

名聞利養の心がものを言う時、それが生命となる時、本質的には仏法はなくなる。されば吉崎に御坊を建てられた蓮如上人は、

「念仏の信心を決定して極楽の往生を遂げんと思はざらん人々は何しにこの在所へ来集せんことかなふべからざる由の成敗を加へ畢りぬ　是れ偏に名聞・利養を本とせず、ただ後生・菩提をこととするが故なり」（御文章の一ノ八）（島地二九―七、西一〇九五、東七六八）

と仰せられた。念仏の道場は、名聞利養の邪路であってはならない。如来のみの輝きたもう世界であって、名聞利養を生命とするあさましい凡夫の救われるところでなくてはならない。

如来の智慧によって、名聞利養の心が、あさましくも恥ずべき煩悩の相であることがわかる時、生きることの荷物を軽くして頂くであろう。

『百喩経』の中に「獼猴把豆喩」と言うのがある。昔一匹の獼猴（大猿）がいた。一握りの豆を持っていたが、誤って一粒の豆を大地に落としたので、その一粒を拾い取ろうと思って、手の中の豆を捨ててしまった。いまだ一粒も拾わない先に鶏鴨が食いつくしてしまったと言うのである。凡夫の出家がその通りで、初め一戒を毀し、懺悔することが出来ない。悔いないが故に放逸無慚が滋くなって一切を捨てると言うのである。

一粒の豆を得ようとして、すべてを捨ててはならない。

仏智の前に一切の不純を清算して、一生求道不退の精進を持続すべし。されば我等の本領に曰く、

「毀誉褒貶に動ずるなかれ。名利に迷惑するなかれ。

逆境に失意するなかれ、順境に驕るべからず。

念仏一道に精進せよ」。

毀誉褒貶とは、ほめられたり、くさされたりすること。毀誉褒貶に動ずるなかれとは、毀誉褒貶に動く煩悩を凝視して念仏に帰れとのこと、名利に迷惑するなとは、名利に迷う心を凝視めて念仏に帰れとのこと、逆境に失意するなとは、逆境に会えば、失望し落胆して暗くなり、瞋恚の心のおこるを凝視めて念仏道に帰れとのこと、順境に驕るなとは、順境にはニコニコとして笑に入る貪欲の水の河を凝視して念仏に帰れとの意である。

第六章　あゆみ

人間は何のために生きるのか。
それは人間に与えられた課題であった。
「大法を聞くために」「念仏するために」のみあるべき一生である。
そのことが唯の話でなく、口先きだけでなく、
身を以って知らされた時、
その人の荷物は、とても軽くなるであろう。

一　夏の讃美──この頃の一日──

よく晴れた朝である。

露にぬれた草叢や、瓜、茄子等の作られた畑には、朝の霊気がただようている。

畑にはもう人が出て、茄子を取っている。

やがて、東の山から、夏の独裁官のような太陽が悠々と蒼空に昇りはじめる。今日の暑さを思わせる。

書斎に朝の涼しい空気が流れて来る。心寂かに入れたお茶一服、念仏の朝はすがすがしい。

ペンを持って机に向かえば、今日の仕事が待っている。これから仕事の中に自分を打ちこむのだ。健康から発散する精気が、今日一日の努力を約束する。

煙草に火をつけて、二十分、三十分、眼を内に転ずる。煩悩どもの朝の挨拶を受ける。一一聞いてやって、すっかり整理がすむと、仕事にかかる。講習会のプリントにまず手をつける。

夏の朝こそは、実に宝玉である。

風さえあまりない午後である。畑も、山も、樹木も、家も、灼熱の太陽の光に燃えに燃えている。

南の空には、入道雲がえも言われぬ美しい色と形を山の上にあらわしている。ちっとも動かない。

坐っているのに汗がダラダラ流れる。今日の暑さはまた格別である。仕事に全体を打ちこめば、汗の中に暑さを忘れる。

流し場の方からはバサバサとお洗濯の音が聞こえる。工場からはコツコツと活字の音がする。夏の真昼には感傷が役立たない。ゴマ化しが許されない。逃避にききめがない。白兵の接戦、力と力との押しあいだ。

少しでも怠けると、すぐ猛暑は骨の髄にまで食い入って来て、ぐにゃぐにゃにする。

仕事だ、動け、働け、クルクル回れ、何くそ！　と腹に力を入れて立て。この真夏、そして真昼、彼は断じて彼に妥協を申し込むことを許さない。甘えさせない。ただ彼は戦いをいどむ。だが、しかし、彼は決して無慈悲ではない。厳粛なる慈父である。力によって力をたたき込む。もし彼を避けてそむけば、彼は弱者として葬るのに躊躇しない。彼を受け入れて、彼になりきる時、彼は清水のような新鮮な喜びを与える。

あの青葉を見よ。野にも山にも緑のユニフォームを著けた、彼への絶対服従者が雄々しくも生々と伸びている。青葉は力にみちた若者である。彼は春のような、秋のような、色彩の自由すら許さない。緑の一色！　伸びるか、枯死か。

そこに男性的な、夏の魅力がある。我は夏を好み、夏を喜び、夏を讃美する。子供らが真っ黒に焦げて海から帰る。子供は夏の愛児である。彼等は焦げた皮膚を気にしない。クリームをぬって海水に入らない。夏は正直にして赤裸々、勤勉にして筋の太い人間を愛する。しかして子供こそは、それらを備えている。彼が愛するのも無理はない。


「先生、お風呂がわきました」

午後五時、少し早すぎるが、頭には疲れの毒素がたまっている。ペッタリ坐って、熱い湯で汗と脂を流す。

時に一陣の風が訪れる。夏にのみ味わい得る千万金、一日の疲れもどこへやら消える。しみじみと、健康な体を見て、生きることの嬉しさを思う。

午後六時半、夕べの勤行の時が来る。私にとって、一日中で、一番うれしく、尊く、懐しく、有難く、ぴったりとするありがたい時である。

「人身受け難し、今すでに受く、仏法聞き難し、今すでに聞く……」

新本部の仏前、あのステージは全くの無風地帯である。一日中の熱気がまだ去らない。聖勤をすすめていると、多汗な体からは滝のように汗が流れて、いつしかに上半身を水につかったようにする。だがこの時間、ハンカチを持たない。扇子を持たない。

ただ、端座。汗よ、出でよ、流れよ。合掌。腹からの声でお経を上げる。何という涼しさだ。

何と言うありがたさだ。暑さはいったい、どこにいるのだ。

勤行がすみ、夕食が来る。

夏は特に食事を甘味（おいし）く頂くことが必要、よく噛んでたくさん食べないようにすること。

夕食時間三十分、粗末なものでもおいしく頂ける。

夕食がすんで、屋外にたたずむ。

美しい西の空、やがて東の山から白銀の月が現われる。

まだ大地のほてりは去らないが、吹く風は涼しい。

誰かが歌う歌の声が聞こえる。夕方の一時は憩いの一時である。一日中働いた者への慈父の御褒美である。

五十ワットの明るい電灯の光が、机の上の銀杏の緑の葉を造花のように浮かび出す。北側の窓から涼しい風が訪れる。達者な子供たちは寝床の催促をしている。

月の光が淡く照らして、月見草をほのかに見せている。もう虫の声が叢（くさむら）に聞こえる。

夏の夕べは、あまりにも、華美なねぎらいである。

まったく日が暮れる。私は再び机の人になる。原稿、十時すぎるとそろそろ静まってくる。

ぽつぽつ安らかな寝鼾が聞こえたり、おかしい寝言も聞こえて来る。

左側の住宅地帯には、番犬たちが何に驚いたか一斉にほえる。

静かだ。鉄瓶の湯の音がする。私が繰る紙の音、ペンの音、それのみが部室いっぱいにひびく。

十一時、十二時、ついに一時、誰にも、何にも妨げられず、経典を頂き、古来の聖賢と語り、考え、ねり、読み、書く、全く私にとっての至尊、至重の時である。

時には眼をあげて、各地の同胞と語り、時には、悠久なる法界を憶う。

十方無量の諸仏、菩薩、念仏の中に我を護念証誠したもうを憶い、法に値うことの幸を一人つぶやく。南無阿弥陀仏！

かくして静かに寝床に横たわる。

ああ。今年もまた、夏に会い得た幸を憶う。夏よ。私の最も好きな夏よ。暑くてあれ。もっともっと暑くてあれ。我はおん身の心に生きる。

二　十五周年大会を基調として

大会

我等の光明団創立十五周年大会は、約五十名の中堅純正光明団々員の、求道猛精進を通して終わりをつげた。

我等はいよいよこの大会をして、歩みを内へ内へと専らならしめることによって、強度一死団結と、自己自身の教化耕養の深刻化に於て、十分の成果を納め得たことを喜ぶ。

憶うに五周年大会は、発生地飯室（いむろ）において未曾有の大盛会をもって行われた。そしてそれが直ちに団が大飛躍と苦難を荷負うべき重要なる役割を果たした。団が一村一郡の問題でなくて、教界に於ける重き役割を背負ったのは、この五周年大会を通してであった。

十周年大会は広島市に於て挙行せられ、市の一般大衆に働きかけるための大会であった。

しかし、この度の十五周年大会は、全く、内へ内への進路をとった。この点過去の何れの大会よりも静かであり、少人数であったけれども、しかし過去の如何なる大会よりも有意義であったことを確信する。

我等はこの五日間の大会において、あらゆる不純分と、不真面目と、遊惰とを超克し、駆逐しつつ氷雪の寒冷に頭を練り、白熱の溶鉱炉に信の願意を尖鋭化し、明確な論理に腹を造り、やがて、春風駘蕩裏に一味一体を現証し、尊厳霜の如き義によって一死団結を誓った。

基調

我等の歩みは十五年続いた。続いてここまで来た。この大会こそ全団同志の総意を反映するものであり、光明団自体の正体を如実に顕現せるものであった。この大会こそ、一面過去の団の歩みを清算するものであり、一面将来への躍進飛躍の第一歩を画する一大基調をなすものであった。

憶うに団は、ここ二、三年来、極めて歩みを闡明にした。あらゆる妥協と反仏教的な一切を排撃しつつ、団自体の歩みを、大乗仏教の真髄の発揮そのものたらしめようとするに至った。しかし社会の物質的窮迫の現状は、社会をしていよいよ非大乗的、非仏教的、反無我的ならしめた。而してかかる情勢は、一面、仏教者の歩みを明確ならしめた。特にかかる社会情勢は、真実ならざるあるものを打倒すべき大地の声をも自然に発生せしめた。我等は、鋭い大乗の剣が、かつては大乗それ自身の具体的顕現であった既成宗団の上に向けられている現状を悲しむものである。しかしながら、生命の枯れんとする既成宗教の更生せんことを切念するものである。もしその社会的文化的意義を果たすべき改進をとげるならば、寺院自体の本来の使命は輝くであろう。我等はここに特に団の運動に参加せる寺院僧侶諸賢に尊重なる敬意を捧げると共に、十五周年大会に当たって、団の新進中堅隊として僧分の諸賢を得たることを特筆すべきである。一歩も躊躇（つまず）かざるこれら中堅隊は、たとえ餓死するとも祖師の歩武を生活すべく、社会のあらゆる階級層をして大乗精神を承認せしめずばやまざるべし。十五周年大会こそ、真に将来への一大基調である。

学仏道場

更に我等にとっての飛躍を必然ならしめるものは、新本部の建設である。六間に十三間の総二階、七十五畳敷きの講堂をはじめ、印刷部、本部員の居室十室を有する新館は、棟梁柳川富太郎氏の全くの義侠、献身的努力によって成就した。本部の求めない以上に、注意設計、設備に犠牲をはらい、全く算盤をはなれて、本団の精神を汲み、信を余が上におき、この工事を急いだ。不幸、幾度の支障のため大会に間に合わなかったけれども、不日、本部はこの新館に移転せらるるであろう。更に団員、吉見又一氏は、唯一人建設委員に任じ、自己の職をなげうち東奔西走、遂に新築を全うした。世間普通、一寺院の建設に時に幾十人の役員をあげ、徒らなる喧騒の中に事が運ばれ、金品の半ばその酒食に費やされるに対し、唯一人の委員によって成されたること、実に光明団的である。ここに厚く二氏に深謝の意を捧げる。

憶うに、新本部は普通世間の家に非ず。会社にあらず、旅館合宿所に非ず、家であると共に学仏道場であり、同胞の家であり、団運動の根源地である。我等本部員はここに移ると共に、規律において、厳粛秋霜の如く、温かさにおいて春の如き生活を成就すべきことを誓った。日を追い、月を追い、年を経て、我等の願望はここに成就せらるであろう。

同胞に檄す

軽薄、笑うべし。
愚劣、排斥すべし。
狂気、哀れむべし。
猪突、誡（いまし）むべし。

大信大行によって一体血盟、もし軽薄ならば軽薄もまた可なり、全身全霊を大法に捧げ、永世を願力に乗托して余念なきもの。愚劣なれば愚劣もまた厭わず、大愚大悪の自証は、仏家諸聖の常途である。余等ここに達せざるを悲しむ。地位に非ず、名にあらず、人間的幸福に非ず、人生の尊厳と歓喜は、唯、使命の成就にあることを信じて生活する者、狂気ならば狂気もまた求むる所。静かなること林の如き粛々たる行歩は、彼岸への一道をとって動かず、何ものをも超えて必勝の大道に精進すること、もし猪突ならば猪突もまたやむを得ず。

もし批判せんとするならば、この行歩に加わりてこれをなせ、傍観者の百万言、これを無視して可なり。生活せず、行歩せずして、使命の重き荷をおき、列外に去る者に言い訳がある。純正光明団々員に、一言の弁解許されず。如何なる時にも、処にも、使命発揮の行歩あれ。信は人生隠遁者の風流や趣味の一種ではあり得ない。

されば我が同胞よ。

一、何れの仏教者よりも、真理に対して忠順であれ。師教に対して忠実であれ。

一、何れの仏教者よりも、求道に熱烈であれ、教えに対して深い理解力と選択の眼を持て。

一、何れの仏教者よりも、自己自身を内面的に深く培え。

一、何れの仏教者よりも、静かであれ。

一、何れの仏教者よりも、社会に働きかけるのに強力であれ。

一、何れの団体よりも固い団結をたもて。

一、何れの団体員よりも相互援助の実を挙げよ。

以上七か条こそ、我が光明団の実現すべき金条である。

我等はここに十五周年に当たって同胞と共にこの歓びと栄光を分かち、いよいよ所期の使命を達成せんとして、この一文を草して同胞に捧げて敢て激励するものである。

（昭和八年十二月七日）

◆住岡夜晃著作出典一覧◆

本書もくじ	*『全集』収載巻	初出	著作年
第一章　苦しむ一切の人々へ			
一　人生の行路	第十一巻	聖光7巻3号	一九三四（昭和九）
二　人生と苦杯	第十一巻	聖光6巻1号	一九三三（昭和八）
三　若人よ起て	第十一巻	聖光6巻3号	一九三三（昭和八）
四　人生とさびしさ	第六巻	光明14巻9号	一九三二（昭和七）
五　言葉	第十一巻	聖光7巻6号	一九三四（昭和九）
六　病む人に贈る	第六巻	光明13巻7号	一九三一（昭和六）
七　無碍道は苦中に開く	第十一巻	聖光8巻7号	一九三五（昭和十）
八　時	第十一巻	聖光7巻6号	一九三四（昭和九）
九　内省の彼方	第十一巻	聖光7巻8号	一九三四（昭和九）
第二章　我が慈父親鸞聖人			
一　華園	第十一巻	聖光8巻5号	一九三五（昭和十）

*『全集』:『住岡夜晃全集』

二　慈父	第六巻	光明13巻5号	一九三一（昭和六）
三　往相回向の生活 ※創造生活の条件（上）	第六巻	光明15巻2号	一九三三（昭和八）
四　もとの相に還る道	第六巻	光明15巻6号	一九三三（昭和八）
五　聖人の歩みたまいし道	第六巻	光明15巻5号	一九三三（昭和八）
第三章　大乗仏教のこころ			
一　応現	第六巻	光明13巻4号	一九三一（昭和六）
二　ひとつの生命	第六巻	光明13巻6号	一九三一（昭和六）
三　内部生命の充実	第六巻	光明15巻2号	一九三三（昭和八）
四　聖心	第六巻	光明17巻10号	一九三五（昭和十）
五　普賢の徳に	第六巻	聖光16巻9号	一九三四（昭和九）
六　欲	第十一巻	光明8巻9号	一九三五（昭和十）
七　釈迦魂と提婆魂	第六巻	光明13巻11号	一九三一（昭和六）
第四章　浄土真実の宗教			
一　親鸞教の概要	第十巻	光明団叢書	一九三三（昭和八）
二　合掌	第六巻	光明14巻12号	一九三二（昭和七）

※：初出タイトル

三　創造生活の条件			
※創造生活の条件（中）	第六巻	光明15巻3号	一九三三（昭和八）
※創造生活の条件（下）	第六巻	光明15巻4号	一九三三（昭和八）
四　批判と領解	第十一巻	聖光8巻5号	一九三五（昭和十）
※批判と領解（下）			
五　精進	第十一巻	聖光7巻6号	一九三四（昭和九）
六　両足尊	第六巻	光明13巻1号	一九三一（昭和六）
	第六巻	光明13巻2号	一九三一（昭和六）
七　尊敬	第十一巻	聖光7巻7号	一九三四（昭和九）
	第十一巻	聖光8巻3号	一九三五（昭和十）
第五章　念仏者の生活			
一　仏教と教育	第六巻	光明16巻9号	一九三四（昭和九）
二　業のもつ宗教的意義	第六巻	光明15巻8号	一九三三（昭和八）
三　生活の統御者	第十一巻	聖光7巻11号	一九三四（昭和九）
四　名聞利養の心を凝視して	第十一巻	聖光8巻2号	一九三五（昭和十）

第六章　あゆみ

一　夏の讃美	第十一巻	聖光7巻8号	一九三四（昭和九）
二　十五周年大会を基調として	第六巻	光明15巻12号	一九三三（昭和八）

◆住岡夜晃・真宗光明団、関連出版物◆

書名	発行年	発行所	内容
住岡夜晃全集（全二十巻）	一九六一～一九六六年	真宗光明団本部	住岡夜晃の全著作
住岡夜晃先生（上）	一九八四年	真宗光明団本部	自伝・書簡・遺訓・年譜
住岡夜晃先生（下）	一九八一年	真宗光明団本部	伝記・追憶・座談会等
難思録	一九七七年	真宗光明団本部	昭和二十三、二十四年頃の晩年の著作
闡光録（上、中、下）	一九五〇～一九五一年	真宗光明団本部	住岡夜晃法語
讃嘆の詩	一九八七年	真宗光明団本部	住岡夜晃法語
讃嘆の詩（上巻、下巻）	二〇〇三年	樹心社	住岡夜晃法語
真理への道	一九三一年	光明団出版部	住岡狂風の説く「二河白道」（広島県連七十周年に復刻版刊行）
若い友のために（住岡夜晃選集第一巻）	一九七一年	山喜房佛書林	住岡夜晃全集からの抜粋

真実を求めて（住岡夜晃選集第二巻）	一九七一年	山喜房佛書林	住岡夜晃全集からの抜粋
不退転の歩み（住岡夜晃選集第三巻）	一九七一年	山喜房佛書林	住岡夜晃全集からの抜粋
女性の幸福（住岡夜晃選集第四巻）	一九七二年	山喜房佛書林	住岡夜晃全集からの抜粋
現代に生きる（住岡夜晃選集第五巻）	一九七二年	山喜房佛書林	住岡夜晃全集からの抜粋
花日記	一九九八年	真宗光明団本部	住岡絹家（妻）の日記、随想等
真宗光明団六十年史年表	一九八〇年	真宗光明団本部	光明団活動の六十年の記録
真宗光明団八十年史年表	一九九九年	真宗光明団本部	光明団活動の六十一～八十年の記録
真宗光明団百年史年表	二〇一八年	真宗光明団本部	光明団活動八十一～百年の記録
コスモスの花	一九九〇年	真宗光明団本部	真宗光明団創立七十周年記念誌
住岡夜晃先生と真宗光明団	二〇〇八年	真宗光明団本部	真宗光明団創立九十周年記念誌
光明団と広島師範と軍港宇品と原爆といいま	一九九三年	関係有志	原爆当時の回想と記録

あとがき

一九三一年（昭和六年）から五年間の日本のできごとを見ますと、九月、満州事変が始まります。一九三二年（昭和七年）五月に五・一五事件が起こり、犬養毅首相が射殺され、六月には警視庁に特別高等部が設置されます。一九三三年（昭和八年）には、日本は国際連盟を脱退。戦争に向かって既に社会が大きく動きだしている時代でした。しかし、当時の社会では昭和八年頃にはカフェーやバーが全盛、ヨーヨー流行など、多くの人々はまだ未来への危機感を持っていなかったことが分かります。

そういう時代的状況の中、住岡夜晃は、一九三三年（昭和八年）に開催した真宗光明団十五周年大会について、「この度の十五周年大会は、全く、内へ内への進路をとった」、「この大会こそ、一面過去の団の歩みを清算するものであり、一面将来への躍進飛躍の第一歩を画する一大基調をなすものであった」と述べ、その歩みが大きな変容を遂げる年であったことを明らかにしています。

「十五周年大会を基調として」という文の中で、彼は、その内へ内への進路の変換を、

「されば我が同胞よ。

一、何れの仏教者よりも、真理に対して忠順であれ。師教に対して忠実であれ。

一、何れの仏教者よりも、求道に熱烈であれ、教えに対して深い理解力と選択の眼を持て。

一、何れの仏教者よりも、自己自身を内面的に深く培え。

一、何れの仏教者よりも、静かであれ。

一、何れの仏教者よりも、社会に働きかけるのに強力であれ。

一、何れの団体よりも固い団結をたもて。

一、何れの団体員よりも相互援助の実を挙げよ。

以上七か条こそ、我が光明団の実現すべき金条である」

と述べています。

また、この年、「六間に十三間の総二階、七十五畳敷きの講堂をはじめ」とする新本部が建設されたことにより、そこを「学仏道場」として、彼が本格的な学びへと歩み出した記念すべき年でありました。それまで、「我々は久しく、借家の不便に全くつながれて、十分に手足をのばすことが出来なかった」状況から、「新しい本部は、我等の歩みの上に、劃(かく)時代的なものを与えることを断言致します」と、彼自らが宣言するものとなったのでした。

一九三五年（昭和十年）、四十一歳の時に書かれた「聖講習会の印象」には、「今の如き聖講習会は、昭和六年鳥取県東郷湖畔において開催したのに始まるのである。この年より本団の運動の全ては一変された」と述べています。

このように、運動の進路の転換と新本部の建設により、彼は、「善悪、賢愚、僧俗、男女、等々の一切の対立差別を超えて南無阿弥陀仏に乗じて生くべきである」と、「唯南無阿弥陀仏を志求し、行歩する」歩みを開始することとなります。

そのような思索の日々が、「この不滅の内的生命の願求のない処に、どうして浄土門の教えが領解出来よう。この全我的な志願こそは、人を内に育てて、遂に『大無量寿経』、如来本願の宗教を会得せしむるのである」と、『大無量寿経』、即ち「如来本願の宗教」を尋ねることとなったと思われます。

この第三巻には、彼のその尋求の歩みを、

第二章　我が慈父親鸞聖人

第三章　大乗仏教のこころ

第四章　浄土真実の宗教

としてまとめました。

第一章には、この本選集をひもとくどのような方にも、読みやすく分かりやすいと思われる文章を集めました。

第五章には、彼が若き日、小学校教師として勤務しつつ、親鸞聖人の教えを尋ね続けた日々の切実な思いと苦悩がよく表れていると思われるものを、一部掲載しました。

第六章には、彼の当時の求道が垣間見られる文章等を掲載いたしました。

二〇一八年八月十五日

『新住岡夜晃選集』第三巻編集委員　**大淵辰雄**